Author
|
Vater
|
Mutter   ┌ Albert Proz
              └ Lester Mann

Über dieses Buch

»Dieses Buch kann man vermutlich genauso zu lesen beginnen, wie ich es zu schreiben begonnen habe: als simple Erzählung. Erzählt wird aus dem Leben des Wiener Pressefotografen Walter Henisch, der dreißig Jahre Zeitgeschichte, selten mehr, meist minder bewußt, vor seiner Kamera passieren läßt. Nun wird aber aus einer Position erzählt, deren Eigenart die Form der simplen Erzählung sprengt. Es ist der Sohn, der, angesichts einer voraussichtlich tödlichen Krankheit seines Vaters, Tonbandmaterial sammelt, um diesen Mann, über den er plötzlich viel zu wenig zu wissen meint, besser kennenzulernen.

Aus der Spannung dieser Vater-Sohn-Beziehung, aus dem Bewußtsein des bevorstehenden Endes nicht nur dieser Lebensgeschichte entwickelt sich der Text. Der *Beginn einer Biografie* schlägt in die Untersuchung der *brutalen Neugier* um, einer dem Pressefotografen wie dem Schriftsteller gemeinsamen Eigenschaft, mit der ich, gerade beim Schreiben dieser Todesgeschichte, nicht fertig werde. *Der Versuch eines Ausbruchs* schließlich führt mich sowohl in die Gegend meiner Kindheit als auch zum Ausgangspunkt der Erzählung zurück. Es ist mir darum gegangen, zu erfahren, wer *mein Vater* war, um mir darüber klar zu werden, wer *ich* bin.« (Peter Henisch)

Der Autor

Peter Henisch wurde 1943 in Wien geboren, wo er auch heute noch lebt als Schriftsteller und Journalist, Liedermacher und Bluessänger. Er ist Redakteur der Kulturzeitschrift *Neue Wege* und Mitbegründer und Mitglied der Musikgruppe ›Wiener Fleisch & Blut‹. 1978 erhielt er den Anton-Wildgans-Preis.

Veröffentlichungen: ›Hamlet bleibt‹. Prosa, 1971; ›Vom Baronkarl‹. Prosa, 1972; ›Lumpazimoribundus‹. Bühnenstück, 1974; ›Wiener Fleisch und Blut‹. Lokale Gedichte und Lieder, 1975; ›Mir selbst auf der Spur/Hiob‹. Gedichte, 1977, und ›Der Mai ist vorbei‹. Roman, 1978.

PETER HENISCH

DIE KLEINE FIGUR MEINES VATERS

ROMAN

FISCHER TASCHENBUCH VERLAG

Fischer Taschenbuch Verlag
Februar 1980
Ungekürzte Ausgabe
Umschlagentwurf: Jan Buchholz/Reni Hinsch
Fischer Taschenbuch Verlag GmbH, Frankfurt am Main
Lizenzausgabe mit freundlicher Genehmigung
des S. Fischer Verlages GmbH, Frankfurt am Main
© 1975 by S. Fischer Verlag GmbH, Frankfurt am Main
Gesamtherstellung: Hanseatische Druckanstalt GmbH, Hamburg
Printed in Germany
680-ISBN-3-596-22097-1

Alles, was mir wirklich von ihm bleibt, ist seine Stimme auf einem Dutzend von Tonbändern und das Buch, das ich aus diesem *Material* gemacht habe, solang er noch gelebt hat. Es hat einen versöhnlichen, relativ hoffnungsvollen Schluß, aber *placatory* das nützt dem Toten ebensowenig, wie der neue, schwarze Anzug, den wir ihm in die Prosectur gebracht haben, und die frisch geputzten Schuhe, die man neben ihn in den Sarg stellen wird, falls sie, was häufig vorkommen soll, nicht mehr passen. Sein Tod war mir durch die ganzen anderthalb Jahre, während der ich an diesem Buch geschrieben habe, *gegenwärtig*, ja bis zu einem gewissen Grad habe ich beim Schreiben dieses Buches mit seinem Tod spekuliert. Aber als er wirklich tot war, und der Jugoslawe vom Nebenbett aufstand, langsam herankam und leise fragte: *Kaputt?* Da hatte alles eine andere Dimension.

I

Ein Geiger, ein Flötist und ein Pianist spielen etwas Klassisches, Fotografen und Wochenschaumenschen schauen durch ihre Kameras, die Ehrengäste applaudieren. Der Frau Vizebürgermeister ist es eine besondere Freude, die Damen und Herren in diesem so traditionsreichen Saal des Wiener Rathauses zu begrüßen. Die kleine Feierstunde gibt ihr Gelegenheit, etwas zu tun, worauf man in unserer raschlebigen Zeit nur allzu gern vergißt. Dank zu sagen, sagt sie und räuspert sich, für Leistungen und Verdienste, die, darauf kann man nicht deutlich genug hinweisen, doch alles andere als selbstverständlich sind.

Der Frau Vizebürgermeister ist es also eine Ehre, jene Personen in diesem Kreis willkommen zu heißen, welche die Wiener Landesregierung mit dem goldenen Anerkennungszeichen für Verdienste um das Land Wien ausgezeichnet hat. Walter Henisch, sagt sie und weist mit dezenter Hand auf meinen Vater, wurde am 26. November 1913 in Wien geboren. Nach dem Besuch der Realschule studierte er zunächst Maschinenbau und Elektrotechnik, wandte sich jedoch schon bald dem Beruf eines Berichterstatters zu. Sein besonderes Interesse galt hier vor allem der Fotografie, die er als Angestellter einer Agentur von der Pieke auf lernte.

Nach dem Ende des zweiten Weltkrieges (das geht verdammt schnell, denke ich) arbeitete Walter Henisch zunächst als selbständiger Fotograf für mehrere Tageszeitungen. 1953 erfolgte unter Chefredakteur Pollack seine Berufung in den Dienst der *Arbeiterzeitung*. Besonders um die Sozialreportage und um die Kommunalberichterstattung erwarb sich Walter Henisch große Verdienste. Seine Kinderbilder legitimieren ihn als echten Kinderfreund und sind in ihrer Lebendigkeit nur schwer überbietbar.

Die Frau Vizebürgermeister kennt die Bilder meines Vaters, sagt sie, unter sämtlichen anderen Bildern anderer Fotografen heraus.

Die Frau Vizebürgermeister ist sehr froh, sagt sie, daß sie

meinem Vater diese Auszeichnung eigenhändig überreichen darf. *decorchin*

Die Frau Vizebürgermeister steckt meinem Vater die zum Anerkennungszeichen gehörige Nadel an die Brust.

Die Frau Vizebürgermeister küßt meinen Vater, sich leutselig zu ihm hinunter bückend, auf die Wange. *affable*

Der Geiger, der Flötist und der Pianist spielen noch etwas Klassisches, die Ehrengäste applaudieren wieder, die Fotografen und Wochenschaumenschen packen ihre Kameras ein. Ich habe, flüstert mir meine Großmutter ins Ohr, noch einen Koffer mit alten Auszeichnungen deines Vaters im Kasten. Dieses Verdienstkreuz paßt gut zu den *Eisernen Kreuzen* . . .

Ich zucke die Achseln.

Aber das alles kommt später.

Noch an dem selben Tag, an dem mich meine Mutter angerufen hatte, um mir zu sagen, daß mein Vater nun neuerlich und vielleicht *endgültig* ins Spital müsse, suchte ich meinen Vater auf. Er stand im Labor und kehrte, statt mich zu begrüßen, den Daumen nach unten. Was willst du eigentlich, fragte er, sein Bauch sah aus wie der Bauch einer schwangeren Frau. Ich möchte, sagte ich, und deutete auf mein Tonbandgerät, daß du mir deine Lebensgeschichte erzählst.

Er schüttelte den Kopf und schenkte sich aus einer unter den Entwicklergefäßen gut getarnten Halbliterflasche ein Glas Wein ein. Ich sollte keinen Tropfen trinken, sagte er, aber ich pfeif drauf, willst du auch ein Glas? Er suchte in den Filmregalen nach einem zweiten Glas, konnte aber keines finden. Macht es dir etwas aus, aus meinem Glas zu trinken?

Was willst du wissen, fragte er, du hast dich doch sonst nicht so sehr für deinen alten Vater interessiert? Alles, was dir einfällt, sagte ich, vom Anfang bis zum (ich vermied das Wort Ende im letzten Moment) bis zum heutigen Tag. Es wäre schade, verschwieg ich, wenn so viel Erleben ganz einfach ungenutzt zum Teufel ginge. Du hast mit deinen sechzig Jahren eine Erfahrung, die mir mit meinen knappen dreißig abgeht.

Jetzt, da ich hier sitze und schreibe, die Geschichte meines Vaters, *meine* Geschichte meines Vaters zu schreiben versuche, ist mir zweimal hintereinander der gleiche Tippfehler passiert. Ich möchte, habe ich geschrieben, und deswegen zweimal ein neues Blatt in die Schreibmaschine eingespannt, daß du mir *meine* Lebensgeschichte erzählst. Ich glaube nicht, daß ich mich meinem Vater gegenüber damals in ähnlicher Weise versprochen habe. Aber später habe ich ihm gestanden, daß ich wissen möchte, wer *er* ist, um mir darüber klar zu werden, wer *ich* bin.

. . . Also ich warte, sagt die Stimme meines Vaters auf dem Tonband, versteckt in den Rosenbeeten hinter den lanzenförmigen Eisengittern des Volksgartens. Um Punkt elf Uhr Vormittag rollen fünf mit *Bundesheersoldaten* besetzte LKWs auf den Ballhausplatz. Der Wachkommandant öffnet die große Doppeltür des Bundeskanzleramtes für die *Wachverstärkung*. Und völlig anstandslos rollen die fünf LKWs in den Hof des Bundeskanzleramtes hinein.

Meine Aufgabe ist es, die Bundesheerfahrzeuge, das Öffnen des Tors und *allfällige Zwischenfälle* im Bild festzuhalten. Was sich da wirklich vor meinem Objektiv abgespielt hat, war mir nur vage bekannt. Plötzlich sehe ich starke Einheiten der Polizei und des Bundesheers auffahren, ich schieße, was die Kamera hält. Dann schlage ich mich, solang es noch geht, ins Gebüsch.

Erst aus der Zeitung habe ich mitgekriegt, daß die Wache entwaffnet, die Telefonzentrale besetzt und das Büro des Bundeskanzlers umstellt worden ist. Er hätte, ist mir später erzählt worden, freiwillig zurücktreten und sich in die Hand des Kommandos Planeta begeben sollen. Es muß aber im Bundeskanzleramt noch eine geheime Möglichkeit zu telefonieren gegeben haben. In der durch das Mißlingen des exakten Putschplanes bedingten Nervosität ist dann Dollfuß *gefallen*. – Nein, denke ich, das suche ich nicht, und probiere ein anderes Band . . . Von der Mariahilferstraße, sagt die Stimme meines Vaters, sind sie bis vors Hotel Imperial herein gekommen. Zuerst die Panzerspähwagen und Krafträder, dann die Parade-SSler in ihren feschen Uniformen. Burschen, kann ich dir sagen, wie Küchenkredenzen.

Und danach, im ebenfalls schwarzen, offenen Mercedes, *der Führer*, den Arm halb lässig, halb forsch zum deutschen Gruß erhoben. Unter seiner Schirmkappe war eine steile Stirnfalte und darunter haben seine Augen ernst und entschlossen

geblickt. Und die Kulisse am Straßenrand war eine unübersehbare Masse. Wien ist vor Hitler auf dem Bauch gelegen.
Aber das alles war *fotografisch* organisiert. Selbst und besonders *der Führer* hat seine Rolle gespielt. Beim Einbiegen in den Ring ein perfektes Rechtsschaut. Rechts sind nämlich wir Fotografen gestanden . . .

Nein, denke ich, das auch nicht, und wechsle das Band erneut. Ich hätte die Bänder sofort beschriften sollen . . . Figl schüttelt also Molotow die Hand und hält den soeben unterzeichneten Staatsvertrag hoch. Und vor dem Belvedere posiert mir halb Österreich für ein Weitwinkelfoto . . .

. . . Das war schon eine Ironie des Schicksals, daß man dem Judenstämmling und Friseurgesellen Walter jetzt auf einmal *die besondere Anerkennung des Chefs der Propagandatruppen* ausgesprochen hat. In einem Rückblick auf den August 43, das ist der Monat, in dem du geboren bist, wird dein Vater endgültig als *der beste Kriegsberichter der gesamten Deutschen Wehrmacht* bezeichnet. Damals in Orel, damals in Solotarewo, war ich trotz meiner bloßen Einszweiundfünfzig der Größte . . .

Nein. Ich drücke die Stoptaste. Nein, das auch nicht.

Was soll denn das werden, fragte mein Vater, ein Buch?
Ich weiß noch nicht, sagte ich, vorläufig mache ich mir Notizen.
Ein Buch über mich? Wen interessiert denn das schon?
Ich sagte: jedes Leben ist interessant.
Mein Vater trank einen Schluck. Du horchst mich aus!
Schade, sagte ich. Schade, daß du nicht willst.
Wer sagt denn, sagte mein Vater, daß ich nicht will? Ich muß mich nur erst an den Gedanken gewöhnen.

Meine Lebensgeschichte, begann er schließlich, ich habe das Band mit dem Anfang seiner Erzählung gefunden und einen deutlichen Einser darauf gemalt – meine Lebensgeschichte ist vorerst die Geschichte eines Kindes, das knapp vor dem Ausbruch des ersten Weltkriegs in Wien geboren und in diversen, mit amerikanischer und schwedischer Hilfe errichteten Heimen erzogen oder genauer *gehalten* wird. Seine Mutter, deren Familie aus Rybnik im heutigen Polen stammt, legt von jeher einen etwas auffälligen Wert auf die Feststellung, ihr Herr Papa sei ein preußischer Oberförster gewesen. Sie hat sich sehr jung mit einem tschechischen Friseur namens Jaroslav Hemiš oder Henniš eingelassen. Mit diesem Herrn Hemiš oder Henniš hat sie allem Anschein nach eine ganze Weile gut gelebt.

Schließlich aber ist ihre erste Ehe, angeblich wegen des *leichtsinnigen Lebenswandels* dieses Mannes, zerbrochen. Ich habe niemals herausgekriegt, was mit diesem leichtsinnigen Lebenswandel genau gemeint war. Ob dein Opa hinter den Frauen her war, oder, was ich für wahrscheinlicher halte, getrunken hat, ich weiß es nicht. Einmal hat deine Oma jedenfalls angedeutet, im Grunde genommen habe die Verwandtschaft diese Ehe ruiniert.

Nein, sagt die Stimme meines Vaters – die Aufnahme ist nicht sehr klar, man hört das plätschernde Wässern einiger Fotos im Hintergrund, und ich lasse das Band zurücklaufen, um die Stelle nochmals zu hören – meinen Erzeuger habe ich nie gekannt. Er ist in den Wirren des ersten Weltkrieges verschwunden oder untergetaucht, gefallen ist er kaum, und hat mir nichts zurückgelassen, als seinen Namen, und diesen Namen habe ich gehaßt. Hemiš, hat mich später der Lehrer in der Schule gefragt und den Kopf auf eine mir unerträgliche Weise schief gelegt, das Kinn ganz nah am Hals, du bist wohl *hämisch*, was? Und die anderen Kinder haben gelacht und mich nach Schulschluß wegen meines Namens gehänselt.

Meine Mutter, die im Weltkrieg als Krankenschwester in einem Verwundetenspital gearbeitet hat, hat sich dort allerdings bald einen Mann mit einem anderen Namen gefunden. Sie war damals, soweit ich mich an sie erinnern kann, eine sehr zarte, aber hübsche Frau mit großen, dunklen Augen und einem allzu weichen Kinn. Der Stiefvater dagegen war ein knochiger, schwerer Sudetendeutscher aus Komotau, dessen Karriere als Operettenschauspieler durch einen Granatsplitter zerfetzt worden ist. Mit einer deutlich sichtbaren Verstümmelung der rechten Hand kann man auch in der tiefsten Provinz keinen Danilo mehr geben.

Das kleine, schwächliche Kind des anderen jedenfalls ist diesem *Herrn Albert Prinz* im Weg. Außerdem herrscht Wohnungsnot und die alleinstehende Mutter hat den Buben schon vorher in der Kinderkrippe untergebracht. Aber der Herr Albert Prinz hat mich all die Jahre im Kinderheim kein einziges Mal besucht. Und auch meine Mutter ist seit ihrer zweiten Eheschließung nur mehr sehr selten und flüchtig gekommen.

Die Jahre vor den Kinderheimen sind mir völlig verloren gegangen. Nur eine einzige Szene mit meiner Mutter in Schwesterntracht, blaue Schürze, weiße Haube, sehe ich bis heute vor mir. Ich sitze auf ihrem Knie, wir spielen hoppe hoppe Reiter und kommen an die Stelle, wo der Reiter in den Sumpf fällt. Ich habe plötzlich furchtbare Angst, von meiner Mutter weg zu fallen, und fange an zu weinen.

Nachdem wir das erste Tonband aufgenommen hatten, lud mich mein Vater, dem jetzt sichtlich danach war, sich auszusprechen, noch auf einen Sprung ins Wirtshaus an der Ecke ein.

Das ist mein Sohn, stellt er mich der Kellnerin, die ihn offenbar als Stammgast kannte, vor, aber was, frage ich sie, wäre ein Sohn ohne seinen Vater?

Das soll man wirklich glauben, fragte die Kellnerin, daß das Ihr Sohn ist, der ist Ihnen aber ordentlich über den Kopf gewachsen!

Ach was, sagte mein Vater, und unter all seiner Selbstironie schwang ein Ton von Bitterkeit, auf die Größe kommt es nicht an. Schöne Augen hat die, sagte er, kaum hatte sich die Kellnerin umgedreht, und machte dazu seine unvermeidliche Geste. Und das Fahrgestell, nun das Fahrgestell ist anscheinend auch nicht so übel, oder was meinst du? Aber die Haarfarbe, nein, also diese Haarfarbe gefällt mir überhaupt nicht. Ich steh auf Rote, weißt du, für einen Mann wie mich sind nur noch rote Frauen interessant.

Dann wurde er ernst: Ich mache mir große Sorgen. Ich muß ins Spital. Werweiß komm ich wieder heraus. Nein, halt den Mund. Ich weiß, was du sagen willst. Aber wir brauchen uns beide nichts vorzumachen. Todesangst hab ich keine. Oder nicht viel. Doch es ist schmerzlich, das alles zurückzulassen. So durcheinander, verstehst du. So drunter und drüber. Da legt man sich ungern hin und kratzt einfach ab.

Dein Bruder tritt meine Nachfolge in der Zeitung an, er wird hinter derselben Laboratoriumstür arbeiten, wie bisher ich, und wegen desselben Vornamens brauchen sie nicht einmal das Türschild zu wechseln. Aber du weißt ja genausogut wie ich über deinen Bruder Bescheid, er ist imstande und schmeißt diese Tür schon morgen ins Schloß, und wozu habe ich mich dann all die letzten Jahre geplagt. Deine Schwester wird deiner Mutter noch viele Probleme machen, ich hab mir, daran kannst du dich wahrscheinlich noch erinnern, lange Zeit nichts sehnlicher gewünscht als eine Tochter, aber daß sie so wird, wie sie geworden ist, und da besteht so gut wie keine positive Beziehung zwischen ihr und mir, das habe ich nicht gewollt. Ich weiß, die heutige Jugend ist anders, als die frühere, ich weiß, die Normen haben sich überall geändert, aber wenn ich daran denke, was ihr alles passieren kann, dann habe ich Angst. Deine Mutter schließlich, na ja, du weißt ja selbst, was sich zwischen deiner Mutter und mir noch abspielt. Sie streichelt mich über die Glatze, der Papa hat schon wieder was Schönes gebastelt, brav, und damit hat sichs. Verstanden, weißt du, verstanden fühl ich mich nicht mehr von ihr. Aber ich möcht ihr mehr hinterlassen als Schulden und Kummer.

Und du, sagte er schließlich zu mir, du bist heute dreißig, ein erwachsener Mann. In gewisser Beziehung bin ich stolz auf dich, in anderer Hinsicht machst gerade du mir das meiste Kopfzerbrechen. Du hast, kommt mir vor, den Weg, den du gehn willst, gefunden. Aber du bist ein Seiltänzer, ganz wie ich.

Unmittelbar darauf erzählte mein Vater den Witz von dem Landarzt, der in der Nacht über den Friedhof geht, und plötzlich ruft eine Stimme hinter ihm: Herr Doktor! Und er schaut sich um und sieht niemand hinter sich, und da ruft die Stimme wieder, und er merkt, sie kommt aus einem frisch aufgeworfenen Grab. Wer bist du, fragt der Landarzt, weil er die Inschrift auf dem Grabstein im Dunkeln nicht lesen kann, und die Stimme aus dem Grab sagt: Herr Doktor, ich bin der Havlicek Hans. Und der Landarzt sagt: Sei ruhig, Havlicek, du bist tot und ich bin für die Lebenden zuständig, was hab ich noch mit dir zu schaffen? Aber der Havlicek ist nicht ruhig sondern jammert: Herr Doktor, ich bitt Sie, verschreibens mir nur noch ein einziges Mittel! Und der Landarzt sagt: Nein, das kommt überhaupt nicht in Frage, daß ich einem Toten ein Mittel verschreib, und außerdem hast du keinen Krankenschein! Doch der Havlicek bittet und bettelt, und schließlich läßt sich der Doktor erweichen: Na gut, Havlicek, ausnahmsweise, also was solls denn für ein Mittel sein? Herr Doktor, Herr Doktor, sagt da der Havlicek Hans, verschreibens mir bittschön was Wirksames gegen die Würmer!

Mein Vater trank und lachte lauter, als nötig, und auch ich lachte und trank, aber selbst über diesem Witz konnte ich seine zuvor gesprochenen Worte nicht vergessen. Du bist ein Seiltänzer, ganz wie ich – dieser Satz, mit dem er mir eine ebenso deutliche, wie seltsame Identifikationsmöglichkeit gegeben hatte, lief den Rest des Tages wie eine Endlosschleife durch mein Gehirn. Als ich am Abend nach Hause kam, sagte mir Sonja, daß sie vermutlich schwanger sei. Und in der folgenden Nacht träumte ich zum ersten Mal den Traum, in dem ich auf den Schultern meines Vaters saß.

Am nächsten Morgen fiel es mir schwer, konzentriert an dem Text, den ich gerade in Arbeit hatte, weiter zu schreiben. Es ging darin um einen Mann namens *Franz*, der seinen Jugendtraum, nach *Bali* zu fahren und dort glücklich zu werden, angesichts der hiesigen Realität so lange immer weiter von sich schob, bis sein *Bali* unerreichbar weit weg war. Wieder und wieder geriet mir mein Vater zwischen die Zeilen, von Zeile zu Zeile erschien mir mein Vater realer als dieser Franz. Schließlich räumte ich den Text, der mir, da es sich um eine *erfundene* Geschichte handelte, plötzlich erschreckend irrelevant vorkam, beiseite, und setzte mich zum Recorder.

Und dann fühlte ich mich wie ehemals als Bub, als ich ganze Nachmittage damit verbracht hatte, Detektiv zu spielen. Ich hatte mir Sonnenbrillen aufgesetzt, mir irgendeinen Passanten aus der Menge ausgesucht und war ihm gefolgt. War ihm dorthin gefolgt, wohin er gerade ging, an den Arbeitsplatz, nach Hause, zu Freunden etc. Und hatte, wenn auch nur die geringste Chance bestand, daß der von mir Beobachtete in absehbarer Zeit zurückkäme, geduldig vor Betriebseingängen, Haustoren, Geschäftslokalen usw. auf seine Rückkehr gewartet.

Auf diese Weise hatte ich oft viel über andere Menschen erfahren. Über ihre Lebensumstände, ihre Bekanntschaften, ihre Gewohnheiten, ihre Interessen, ja ihre Geheimnisse. Und hatte mir aus alldem ein – wenn auch meist nur skizzenhaftes – Bild dieser Menschen gemacht. So wie der, hatte ich dann oft gedacht, möchte ich auch sein, so wie jener lieber nicht und bei dem da kann ich mich nicht entschließen.

Auch die Erinnerungen meines Vaters aus der Kinderheimzeit sind natürlich bloße Erinnerungsinseln in einem Meer von längst Vergessenem. Trotzdem, sagt seine Stimme, tauchen manche Bilder aus gerade diesen Jahren in den letzten Wochen immer häufiger in meinem Bewußtsein auf. Das mit der schönen Frau zum Beispiel, die, ich glaube als Mitglied einer amerikanischen Rotkreuzdelegation, um Weihnachten durch die Heimbaracken schreitet. Und auf ihrem Mantelkragen liegen große Schneesterne und zerschmelzen allmählich.

Einen riesigen Kachelofen habe ich immer noch vor Augen, der ist, seltsam genug im Inventar einer Baracke, an drei Ecken mit ebenso vielen Engeln verziert. Bin ich, und das ist häufig vorgekommen, krank gelegen, so habe ich oft stundenlang diese Engel angeschaut und gehofft, sie würden mir ihre Gesichter zuwenden. Manchmal habe ich mir eingebildet, sie würden es wenigstens tun, falls ich einen kleinen Moment lang zur Seite blicke. Aber wenn ich sie wieder direkt angeschaut habe, waren ihre Gesichter noch immer von mir abgewandt.

Das Spiel vom *Mariechen*, das auf seinen Bruder Karl wartet, um von ihm ins Herz gestochen zu werden, hat mich richtig beängstigt. Die dreimalige Wiederholung der Versenden hat mir seinen an sich ja wirklich erschreckenden Inhalt besonders drastisch vor Augen geführt. Aber das Allerschlimmste daran war die ganz offensichtliche Unabwendbarkeit des Geschehens. Schon in der zweiten Strophe weint Mariechen, weil es sterben muß, aber es bleibt auf seinem Stein sitzen. Warum dieses Spiel die anderen Kinder nicht ebenfalls beängstigt, sondern belustigt hat, habe ich nie verstanden. Aber es ist ja nur ein Spiel, hat mir die Heimtante gesagt, als ich über das arme Mariechen zu weinen begonnen habe, kaum habe ich den Text zum ersten Mal gehört. Den ganzen Nachmittag habe ich mich nicht trösten lassen, und sogar aus dem Schlaf bin ich in der folgenden Nacht ein paar Mal aufgeschreckt. Vom Mariechen habe ich geträumt, das plötzlich meine Mutter war, und der Bruder Karl ein fremder, großer Mann.

Überhaupt Kreisspiele, kann ich dir sagen, alle Arten von Kreisspielen waren mir noch lange ein schweres Problem. Zwar habe ich stets den Wunsch gehabt, in den Kreis der anderen einzutreten, zur gleichen Zeit aber habe ich mich davor gefürchtet. Ich war immer der Kleinste und Unscheinbarste, *unter* den anderen bin ich mir erst richtig aufgefallen. Meist habe ich also nicht mit den anderen mitgespielt, sondern mich in einer Ecke versteckt.

Nur zu einem kleinen, totenblassen Mädchen habe ich mich hingezogen gefühlt, das hat ständig mit dem Oberkörper hin und her gewackelt, wie ein eingesperrtes Tier. Auf die Frage, warum es das tue, hat es geantwortet, daß es die Welt, wenn es wackle, schöner finde. Nach und nach ist dieses am Anfang fast unmerkliche Wackeln immer ärger geworden. Und eines Tages war dann das kleine, totenblasse Mädchen verschwunden.

Aber auch ich habe schon damals eine ganz spezielle Methode gehabt, meine Umgebung zu betrachten. Mit Vorliebe habe ich durch ein der Länge nach zusammengerolltes Stück Papier geschaut. Durch dieses *Fernrohr* war alles gewissermaßen weiter entfernt und genauer umgrenzt. Durch dieses Fernrohr ist mir die Welt, oder was mir damals als Welt erschienen ist, nicht zu nahe gekommen.

An dieser Stelle stoppe ich das mit Nr. 1 bezeichnete Tonband und suche eine ganz bestimmte Passage auf einem anderen: ich habe den Krieg – muß mein Vater dort ungefähr sagen in erster Linie vom fotografischen Standpunkt betrachtet. Vom fotografischen Standpunkt nämlich ist ja der Krieg eine hochinteressante Sache. Vom fotografischen Standpunkt ist allerdings so gut wie alles, was du vors Objektiv bekommst, hochinteressant . . .

Doch ich finde die betreffende Passage nicht und bin auch nicht sicher, auf welchem Tonband ich sie suchen soll. Sagt mein Vater diese Sätze schon auf dem Frankreichband oder sagt er sie erst später, in Rußland? Durch dieses Fernrohr – wiederholt seine Stimme – war alles gewissermaßen weiter entfernt und genauer umgrenzt. Durch dieses Fernrohr ist mir die Welt oder was mir damals als Welt erschienen ist, nicht zu nahe gekommen.

Die Welt: das waren die weißgestrichenen, kalten Stahlrohrbetten, das waren die verzinkten und trotzdem angerosteten Waschanlagen, das waren die nach Karbol riechenden, von innen unversperrbaren Klosette; das waren die heißen Becher voll dünnem Tee am Morgen, das war das feuchte, nach

Kümmel schmeckende Brot zu fast jeder Mahlzeit, das waren die Tanten mit ihren alterslosen Gesichtern; das waren die fremden Väter und Mütter zur Besuchszeit, das waren die anderen Kinder mit ihren lauten Stimmen, das waren die aus dem von den Lichtmasten vor der Baracke herunterrinnenden Teer geformten Kugeln . . .

In dieser letzten Erinnerung scheint die Sonne und in den Geruch des weichen Teers mischt sich der Geruch von Gras und Löwenzahn. Diesen Geruch von Gras und Löwenzahn und sogar den Geruch des weichen Teers bezeichnet die Stimme meines Vaters auf dem Tonband als einen Duft. In dieser letzten Erinnerung zittert die warme Luft über der Straße, und der Himmel über allem ist sehr durchsichtig und blau. Ansonsten ist in den frühen Erinnerungen meines Vaters meistens Winter.

Ich setzte mich hin und schrieb den ersten einer Reihe von niemals abgeschickten – Briefen an meinen Vater. Lieber Papa, schrieb ich, ich bin mir nicht ganz klar darüber, warum mich deine Lebensgeschichte plötzlich interessiert, aber mir ist, als wäre ich auf eine Spur geraten, der ich folgen will, obwohl ich noch nicht weiß, wohin sie führt. Hinter einem anderen her begegnet man sich selbst – diesen Satz habe ich vor Jahren in einem anderen Zusammenhang geschrieben, nun aber scheint er mir auf uns zu passen. Und dabei war mein Verhältnis zu dir lange Zeit viel schlechter, als du es wahrscheinlich ahnst, nie wäre ich damals auf die Idee gekommen, die Suche nach meiner Identität mit der Suche nach der deinen zu verbinden.

Und das, obwohl du mir diese Verbindung so nahe gelegt hast: Auf einem der frühesten Fotos, die du von mir gemacht hast, hat man mir deine Schirmmütze mit dem Reichsadler aufgesetzt. Ich bin ein dickes, etwas besorgt dreinschauendes Kind, Mutti trägt ein Dirndl, du trägst eine Panzeruniform. Das muß in Gmünd gewesen sein, auf Wien sind Bomben gefallen, wir waren evakuiert.

Die Schirmmütze mit dem Reichsadler, die Schirmmütze mit dem Hakenkreuz, gerade sie war einer der wesentlichsten Gründe, die mich geraume Zeit dazu veranlaßt haben, mich von deiner Geschichte und damit von dir zu distanzieren. Nicht, *daß* du sie getragen hast, aber *wie*, nämlich gern, sogar stolz, ausgerechnet du, und die Armbinde mit der Aufschrift *Kriegsberichter des Heeres* hängt noch heute wie die Trophäe irgendeines Sportlers in deinem Labor, also damit bin ich einfach nicht fertig geworden. Mit zwanzig habe ich mir einen Bart wachsen lassen, um dir nicht ähnlich zu sehen – um Mund und Kinn, hat mir die Mutti immer wieder gesagt, bist du der ganze Papa. Jetzt schaust du aus, hat die Oma angesichts des sprießenden Bartes gezetert, wie ein polnischer Jud, und genau das, muß ich gestehen, war mir eine große Genugtuung. Nun mit dreißig, ergreife ich Maßnahmen gegen meinen besonders am Hinterkopf immer ärger werdenden Haarausfall. Seit ich mich erinnern kann, versteckst du deine Glatze unter einer Pullmannkappe. Ich betrachte meine Bilder, ich betrachte die deinen, ich lege sie nebeneinander. Tatsächlich, es ist nicht zu ändern, wir sehen uns ähnlich.

Als du mir einigermaßen bewußt worden bist, warst du ungefähr zehnmal so alt, wie ich. Heute, da ich mich mit deiner Geschichte befasse, bist du nur mehr doppelt so alt. Wenn deine Zeit einmal stehen bleibt, kann ich dich überholen. Ob ich will oder nicht: ich komme dir näher . . .

Nun, mit dreißig . . . vielleicht liegt es auch ein wenig an diesem seltsamen Alter, daß ich auf einmal das Bedürfnis habe, dich näher kennen zu lernen. Warum hast du mich auch unlängst im Gasthaus so überdeutlich an diese für mich selbst recht problematische Dreißigjährigkeit erinnert? Hättest du mich auf den Kopf zu gefragt, wie alt ich bin, ich hätte mich jünger geschätzt. Du bist heute dreißig, ein erwachsener Mann . . .

Ich komme mir vor, als wäre ich auf einen Berg gestiegen und sähe plötzlich gleich gut nach vorne und hinten. Das ist einerseits sehr erfreulich, anderseits aber auch ein bißchen erschreckend, ich weiß selbst noch nicht recht, was ich davon halte. Denn der Generationenkonflikt, in dem ich bisher ganz eindeutig Partei ergriffen habe, und selbstverständlich war ich auf der Seite der Söhne, ist plötzlich in mir. Trau keinem über dreißig: ich stehe vor dem Spiegel und schaue mir selbst mit wachsendem Mißtrauen ins Gesicht.

Wenn einer in sein dreißigstes Jahr geht, wird man nicht aufhören, ihn jung zu nennen . . . das ist von Ingeborg Bachmann. Er selbst aber, obgleich er keine Veränderung an sich

18

entdecken kann, wird unsicher, ihm ist, als stünde es ihm nicht mehr zu, sich für jung auszugeben. Womöglich ist es schon ein Zeichen dieser Unsicherheit, und so gesehen wohl auch ein Zeichen der Veränderung, daß ich auf einmal das Bedürfnis habe, dich zu verstehen. Das Bedürfnis, Bedingungen zu finden für Konsequenzen, die ich auch jetzt nicht akzeptiere, aber möglicherweise besser begreife.

Zu Beginn seines Schulalters wird mein Vater aus dem Kinderheim, das sich im zwölften Bezirk befunden haben muß, in ein Schülerheim überstellt. An dieses Schülerheim, von dem aus ich jeden Morgen zur Schule gegangen bin, um jeden Mittag dahin zurückzukehren, habe ich, sagt seine Stimme, sonst so gut wie überhaupt keine Erinnerung. Wenn ich versuche, mich an dieses Schülerheim zu erinnern, geht es mir so, als wollte ich ein längst überspieltes Tonband hören. Durch später darüber Gespieltes ist ehemals Aufgenommenes total gelöscht.

Vielleicht hat das *Johanneum*, in das ich zu Beginn der zweiten Klasse überwiesen worden bin, einen diese Erinnerungslücke bewirkenden Schock ausgelöst. Da ich nämlich in der ersten Klasse, dem strengen Urteil des Herrn Albert Prinz gemäß, in keiner Weise *funktioniert* habe, haben mich meine Eltern der Obhut der katholischen Schulbrüder anvertraut. Ich weiß bis heute nicht, mit welchem Recht sich diese Herrschaften ausgerechnet als Schul*brüder* bezeichnen. Seit ich ihre Bekanntschaft gemacht habe, ist mir jedenfalls das Wort Brüder zutiefst zuwider.

Nicht, daß mein Stiefvater – den ich übrigens erst anläßlich der *Vorstellung* in der Apostelgasse persönlich kennenlernte – so besonders katholisch gewesen wäre. Zumindest habe ich ihn später – und da habe ich ihn schon besser, ja allzu gut gekannt – nie eine Kirche betreten oder beten gesehn. Aber als Ordnungsmacht hat ihm die Kirche gewiß imponiert. Und der regierende Bundeskanzler Ignaz Seipel war ein energischer Mann.

Die Schulbrüder in der Apostelgasse sind sehr hagere, sehr ernstblickende, sehr schwarzgekleidete Herren mit weißen Kattunvierecken vor der Brust. Mein Sohn, empfängt mich einer von ihnen, du befindest dich jetzt in geistlichen Händen und wirst dich dementsprechend verhalten. Die Hausordnung sieht um sechs Uhr Tagwache, im Anschluß daran Gottesdienst und dann erst das Frühstück vor. Weiter geht sie mit den Programmpunkten Unterricht, Mittagessen, Aufgabenschreiben, Erholung, Schulung, Gottesdienst und Nachtruhe um sieben Uhr Abend.

In den riesigen Schlafsälen stehen die Betten sehr parallel zueinander. Ebenso parallel zueinander liegen Polster und Decken. Beim Bettenbau sind die mit Knoten versehenen Zipfel des Leintuchs exakt unter die vier Matratzenecken zu stecken. Das andere Leintuch ist so darüber zu spannen, daß später beim Einschlafen die Füße des Schläfers nicht hervorschauen.

Zu liegen haben die Zöglinge ausnahmslos kerzengerade und auf dem Rücken. – Dazu fällt mir ein, daß ich meinen Vater immer nur in extremer Hockerstellung schlafen gesehen habe. – Die Hände sind auf der Decke zu halten, darauf achtet eine pedante Aufsicht. Verstöße gegen diese Vorschrift werden mit besonderer Strenge bestraft.

Wieder stoppe ich das mit Nr. 1 bezeichnete Tonband, lasse die Kassette aus dem Recorder springen und suche zwei später aufgenommene Sätze. Diesmal habe ich Glück und finde sie fast auf Anhieb: Mein Vater erzählt über seine militärische Grundausbildung in *Hollabrunn Niederdonau.* Noch in Zivil hetzen sie uns dort über den Kasernenhof und die Schikanen beim Bettenbau und bei der Spindkontrolle sind nicht von schlechten Eltern. Mich erinnert das alles sehr ans *Johanneum,* aber gerade seit dem *Johanneum* habe ich gegen soetwas eine dicke Haut.

Weiter auf dem ersten Tonband erzählt die Stimme meines Vaters von der geistlichen Strafpraxis. Von ihrem *Recht* zu strafen machen die Schulbrüder bei jeder sich bietenden Gelegenheit Gebrauch. Ein Flüstern in der Kapelle, ein Gelächter beim Essen oder eine Unaufmerksamkeit beim Lernen hat schlimme Folgen. Die Skala der Strafen erstreckt sich von einfachen Rohrstabhieben auf die Finger bis zum regelrechten Prügeln auf den entblößten Hintern. Für die zuletzt genannte Strafe haben die Schulbrüder, sagt die Stimme meines Vaters, eine Vorliebe. Schon das Ausgestreckthalten der Arme ohne angesichts des kurz ausschwingenden Rohrstabs zurückzuschrecken, ist eine Zumutung. Am qualvollsten aber ist mir die Erinnerung an das Herunterziehen der

Hose und das Hinhalten des nackten Fleisches. Entschuldige, sagt mein Vater, und trinkt einen auf dem Tonband hörbaren, langen Schluck, aber ich habe einen trockenen Mund.

Doch nicht nur der Körper wird von den Schulbrüdern in *Zucht* gehalten, sondern auch die Seele. Es ist wichtig, die Woche hindurch zu sündigen, um den Beichtvater am Sonntag zu befriedigen. Verzeihung aber schenkt Gott, und Gott ist ein Dreieck mit Aug. Manchmal ist auch davon die Rede, daß Gott lieb und ein Vater ist, aber diese Begriffe passen nicht recht zusammen. Und natürlich gibt es auch etwas zu lernen im *Johanneum*. Die Geschichte vom lieben Herrn Jesus zum Beispiel, dem ersten Ehrenarier, und den bösen Kindern Israel. Kreuzige Ihn, schreien die den unentschlossenen Pilatus an und: sein Blut komme über uns und unsere Enkel. Wenn wir Jahre später brüllen werden: Juda verrecke, so ist das nur die dieser Provokation entsprechende christliche Antwort.

Einmal, als man ihn mit einer Gruppe anderer Zöglinge zum Friseur am anderen Eck der Apostelgasse schickt, versucht mein Vater aus der Obhut der Schulbrüder auszureißen: Ich renne also, so rasch ich kann, die Apostelgasse aufwärts und dann in Richtung Landstraßer Hauptstraße davon. Mein erster Impuls ist, zu meiner Mutter zu laufen, aber während des Laufens beginne ich an meiner Mutter zu zweifeln. Von diesem Augenblick an ist mir die Richtung der Flucht ein Problem und ganz automatisch verlangsamen sich meine Schritte.

In der Gegend des Rochusmarktes ist mir schon eine ganze Internatseskorte samt Polizei auf den Fersen. Ich schlage Haken zwischen den Marktständen, doch im Grunde genommen habe ich sowieso keine Hoffnung. Nur mehr aus Angst vor der Strafe will ich entwischen. Ins Heim gebracht werde ich mit auf den Rücken gedrehten Arm.

Um Indizien zu sammeln, wollte ich meine Großmutter besuchen und ging, da die Sonne schien, den Weg in die Heumühlgasse zu Fuß. Im Waldmüllerpark, und zwar in der Nähe des Friedhofs, wurde mir in frappanter Weise bewußt, wie groß die Kerzen an den Kastanienbäumen schon waren. Natürlich war mir das alle Jahre wieder aufgefallen, aber es war mir noch nie so bewußt geworden wie jetzt. Und dann hatte ich plötzlich das Bedürfnis, meine frühesten Erinnerungen nach meinem Vater zu durchsuchen.

Meine Mutter hatte mir so oft über unsere Flucht von Gmünd nach Otten erzählt, daß ich nicht mehr wußte, ob ich mich an diese Flucht oder die stets wiederholte Erzählung darüber erinnerte. Ich mußte, versteckt unter einem kleinen Koffer, im Kinderwagen gelegen sein, meine Mutter hatte den Kinderwagen geschoben. Draußen war Wald und Nacht gewesen, von Zeit zu Zeit waren Leuchtraketen, *Christbäume* nannte sie meine Mutter, aufgestiegen. Das mußte sich 1945 zugetragen haben, alles war nach Süden und Westen geflutet, die Russen waren gekommen.

Einmal, erzählte meine Mutter, ist ein Mann aus dem Dickicht hervorgetreten, mit einem Gewehr in der Hand und slawischem Akzent, doch er hat uns nichts getan. Ansonsten haben wir Schüsse gehört, vielleicht sogar das Rattern eines Maschinengewehrs, aber ziemlich weit weg. In Otten hatte Tante Steffi mit meinem um zwei Jahre älteren Cousin Herbert gewartet. Du hast, erzählte meine Mutter, einen guten Schlaf gehabt und den ganzen langen Weg von Gmünd nach Otten nicht geschrien.

Geschrien hatte ich später, daran erinnerte ich mich unmittelbar, als mir auf der Rückreise nach Wien der Schnuller verloren gegangen war. Das war an einer Bahnstation gewesen, ich sah Gleise vor mir und einen Güterwaggon. In den Güterwaggon mußten wir hinein, eine Menge Leute drängten nach, und meine Mutter konnte sich nicht mehr nach dem Schnuller bücken. – Weder in der ersten, noch in der zweiten Erinnerung kam mein Vater vor.

Meine Erinnerungsfetzen aus dieser Zeit hatten die Farbe eines Bildes, das noch ziemlich lang nach dem Krieg unser Wohnzimmer verunziert hatte. *Die Heimkehr* hieß es und zeigte, sehr feldgraugrün, einen Soldaten, der, den endlich abgenommenen Stahlhelm in der Hand, das müde Blondhaupt in den Schoß einer Dame mit langen, schmalen Händen legte. Diese Dame, hatte mir meine Mutter erklärt, ist *die Heimat*, und der Soldat ist gerade von der Front zurückgekommen, wo er viel Schlimmes erlebt hat. *Die Heimat* trug ein langes, grünstichiges Kleid und saß auf einem Mauervorsprung in einer Art von Höhle.

Als ich in den Flur des Hauses Heumühlgasse 12 trat, fiel mir

keine Ahnung warum, der altmodische Messingschuhab-
streifer am Treppenabsatz auf. Schon zahllose Male war ich
an diesem Schuhabstreifer vorbeigegangen und hatte ihm,
obwohl oder weil mir sein Vorhandensein so selbstverständlich gewesen war, kaum Beachtung geschenkt. Nun aber
blieb ich stehen und kratzte mir gedankenverloren die Sohlen
ab, bis mir aufging, daß es ja draußen weder regnete, noch
schneite. Und dann erschrak ich, als hätte ich sie erst jetzt
gesehen, vor der Kellertür, zu der ein paar Stufen abwärts
führten.

Gerechter Gott, sagte meine Großmutter, du willst ein Buch
über deinen Vater schreiben, das hat gerade noch gefehlt!
Statt daß du dir ein ordentliches Thema suchst, etwas, wor-
über die Leute wirklich lesen wollen, oder wenigstens einen
ordentlichen Beruf! Aber du hast genau denselben Dickschä-
del, wie er, wenigstens in dieser Beziehung seid ihr euch
ähnlich, das kann man nicht leugnen. Ein preußischer Dick-
schädel ist das, der liegt bei uns in der Familie, den habt ihr
geerbt.
Doch bei euch hat sich noch etwas dazugeschlagen, etwas
leichtsinnig Zigeunerhaftes, weiß der Teufel, woher. Freie
Berufe – gütiger Himmel, du siehst ja, wozu das führt und
wie dein Vater jetzt dasteht. Mit sechzig krank und geplagt
von finanziellen Sorgen, sechzig, ich bitt dich, das ist doch
überhaupt kein Alter! Wenn ich noch einmal sechzig wäre,
soll ich dir verraten, was ich dann täte? – ich ginge zum
Ballett!
Aber dein Vater hat ja nie auf mich hören wollen, ebensowenig, wie du auf mich hören willst, auf euresgleichen kann
man einreden, wie auf ein krankes Roß. Was habe ich zu ihm
gesagt, wie der Krieg vorbei war und verloren, auch für ihn
verloren, wohlgemerkt, Walter, habe ich gesagt, jetzt schau
dazu, daß du noch bei gutem Wind irgendwo hineinrutschst,
es ist höchste Zeit! Bei der Wehrmacht, ja, als Kriegsberichter
der Deutschen Wehrmacht, da hast du deine Sicherheit gehabt: Staatsdienst und Pensionsberechtigung nach ehrenvol-
ler Abrüstung. Aber als freier Pressefotograf, nebbich, als
freier Pressefotograf wirst du dich nur zu Tode schuften und
davon haben wirst du einen Dreck.
Und hab ich nicht recht gehabt, frag ich dich – viel zu spät erst

hat er meinen guten Rat befolgt und jetzt liegt er da. Ausge-
pumpt für nichts und wieder nichts und nur seine letzten paar
Jahre als AZ-Fotograf rechnet man ihm pensionsmäßig an.
Und er kann dem Geld nachrennen, das für andere kein
Problem ist, und nebenbei muß er noch pfuschen als Porträt-
fotograf. Im Park, wie ein Jahrmarktsgaukler, weil er sich
keine Scheinwerferlampen leisten kann, soweit hat es kommen müssen, stell dir das nur vor!
Aber du hörst mir ja gar nicht zu, obwohl das gerade dich
angeht, denn du bist womöglich noch schlimmer, als er. Was
starrst du denn dauernd hinter mich an die Wand, was siehst
du denn dort, ein Menetekel? Dort oben? – ja, dort oben ist
ein Bild gehangen, solang ihr, als eure Wohnung ausgebombt
war, bei mir gewohnt habt. *Die Heimkehr* hat es geheißen,
und ihr habt es mitgenommen, als ihr dann endlich wieder
eine eigene Wohnung gekriegt habt.
Ob du was darfst? – in der Fotoschachtel kramen, aber
natürlich, das darfst du. Jaja, der Kleine da mit dem Matro-
senanzug ist dein Vater, er war ein winziges Kind. Und der
Große, Starke hier mit der Lederhose ist mein seliger Mann.
Der sollte ein Vorbild für euch alle sein: ein strenger, aber
überaus korrekter Mensch.

Wegen meines, nach dem mißlungenen Ausbruchversuch
wirklich katastrophalen Schulversagens, erzählt die Stimme
meines Vaters weiter, werde ich schließlich von meinem
Erziehungsberechtigten aus dem Johanneum *nach Hause* genommen. Doch ist der Tausch zwischen geistlicher und
weltlicher Obhut, trotz der anfangs nur allzugern gefaßten,
diesbezüglichen Hoffnungen, kein guter. Herr Albert Prinz
und Gattin besitzen inzwischen eine Zimmerküchewohnung
in Wien 4, Heumühlgasse 12. Diese Wohnung ist nach dem
Tod der greisen Hauptmieterin, einer gewissen Frau Hannah,
an die bisherigen Untermieter gefallen.
Während der Zeit bei den Schulbrüdern habe ich meine
Eltern nur im Sonntagsgewand und mit den dazu passenden
Sonntagsgesichtern gekannt. Sie haben mich manchmal zu
einem stocksteifen Spaziergang durch die Praterhauptallee
mit Jause im ersten oder zweiten Kaffeehaus abgeholt und
anschließend wieder in der Apostelgasse deponiert. Hie und
da hat mir der Herr Albert Prinz bei solchen Gelegenheiten

sogar ein Stück Torte oder eine Schaumrolle spendiert. Jetzt in der Heumühlgasse aber lerne ich meine Eltern und besonders ihn, meinen Stiefvater, erst richtig kennen.

Ziemlich rasch hat Herr Albert Prinz als Postbeamter Karriere gemacht. Zur Zeit meiner Heimholung ist er Telegrafenoberoffizial und träumt von der Wiedereinführung der alten k. u. k. Postuniformen. Als k. u. k. Telegrafenoberoffizial hätte er nämlich, meint er, das Recht, einen Säbel zu tragen. Wenn es so weit kommt, Martha, höre ich ihn noch heute zu meiner Mutter sagen, die hohe Amtsmütze, der steife Kragen und der Säbel an der Seite, wird auch rein äußerlich deutlich werden, was ich *bin*.

Er hat mit der Monarchie, das sagt er oft und gern, Hand und Heimat verloren, und dafür bekommen hat er, aber das verschweigt er lieber, ein geradezu unstillbares Bedürfnis nach Kompensation. Ist in einem von dekadenten Franzosen, barbarischen Russen, plutokratischen Angelsachsen und arglistigen Italienern zertrümmerten goldenen Zeitalter zu Komotau die Kunst heiter gewesen, so ist nun zu Wien das Leben ernst. Aber sie, die anderen, die Schuld an dem allen tragen, die Totengräber von Ruhe und Ordnung, Sozialisten, Freimaurer, Juden und Slawen, sie werden schon sehen! Die hinterrücks Niedergestreckten werden sich aufrichten zu neuer und imposanterer Größe, das Starke, Gesunde, Edle wird sich durchsetzen, und was sich ihm in den Weg stellt, wird ausgerottet werden mit Strunk und Stiel.

Mit diesem Krispindel von Stiefsohn da zum Beispiel wird man auch noch fertig werden! Der sich schon fürchtet vor dem festen Blick oder dem lauten Atem des mit seiner Erziehung Betrauten! Da soll sich die kleine, durch die Existenz dieses Problembündels ohnehin schwer schuldige Gattin nur ja nicht dreinmischen. Und überhaupt haben Frauen besser den Mund zu halten, zu kochen und die Socken zu stopfen.

Jeden Morgen war der ungeheure Hintern des Herrn Albert Prinz mein erster Anblick. Ich habe nämlich – so groß war die Raumnot – auf einem Lotterbett in der Küche geschlafen. Genau über meinem Kopfpolster ist die Waschmuschel gehangen und darüber der Spiegel. Vor diesem Spiegel aber hat sich der Herr Albert Prinz rasiert.

Habe ich also die Augen geöffnet, so habe ich zuallererst

seinen Hintern vor der Nase gehabt. Der Hintern hat sich im Rhythmus des Rasierens bewegt. Dazu waren laute Rasiermesserstriche zu hören. Der Bart des Herrn Albert Prinz war ungemein hart.

Meist habe ich die Augen gleich wieder geschlossen und mich schlafend gestellt. Aber der Herr Albert Prinz hat mir diese Flucht aus der Wirklichkeit nicht allzu lang gegönnt. Na, wann steht der Lauser eigentlich auf, hat er, das Rasiermesser hörbar zuklappend und sich vom Spiegel gegen mich wendend, gedonnert. Und ich habe mich schon am frühen Morgen von seiner Stimme geohrfeigt gefühlt. *Boxed on his ears.*

Du mußt dir vorstellen, wie der Herr Albert Prinz ein weißes, von meiner Mutter schon am Abend mit gebührender Sorgfalt vorbereitetes Hemd anzieht. Und er streckt die Arme aus, und sie steht längst habtacht mit den vergoldeten Manschettenknöpfen. Und er setzt sich an den Tisch und bindet sich eine Serviette um, und zwar mit einer aufreizenden Selbstverständlichkeit. Und sie läuft mit kleinen Schritten vom Herd zum Tisch und serviert ihm das Frühstück. Und dann schlüpft der Herr Albert Prinz in seinen grauen Überzieher und klemmt sich seine schwarze Aktentasche unter den Arm. Und zum Abschied hält er mir die scharfrasierte Wange hin, in einer entwürdigenden Weise zu mir herabgeneigt. Und manchmal ist mir danach, ihn auf diese Wange zu schlagen, aber ich muß sie küssen. Und vor dem penetranten Geruch seines Rasierwassers reckt es mich noch jetzt.

Abends habe ich den Tritt meines Stiefvaters schon immer durchs Stiegenhaus voraus gehört. Selbst wenn er in Wirklichkeit noch gar nicht da gewesen ist, habe ich seinen Tritt bereits im Ohr gehabt. Und habe ihm die Hausschuhe an die Tür gebracht und mich ansonsten möglichst ruhig verhalten. Und meine Mutter hat die Ereignisse des vergangenen Tages rapportiert.

Du kannst dir denken, daß der Herr Albert Prinz, von der Post- und Telegrafenzentrale nach Hause kommend, meist schlechter Laune ist. Zwar ist er selbst ein Vorgesetzter, aber natürlich hat auch er seine Vorgesetzten über sich. Nicht so im trauten Kreis der Familie, da ist er der Chef. Und da herrscht er viel unumschränkter als je ein Post- und Telegrafendirektor.

Beim Abendessen spielen Gesetz und Ordnung eine große

Rolle. Da hat das Besteck genau an seinem Platz zu liegen und zu reden hat, wenn überhaupt, nur einer, und das ist er. Und er erteilt Lob und Tadel, zum Beispiel die Zubereitung des Sauerkrauts betreffend und der *Klöße.* Und er darf hemmungslos fressen, mit dem wieder und wieder dem Wohl der Familie geopferten Tag hinter sich.

Nach dem Essen hat er sich dann oft auf den Diwan gelegt und mit gewaltiger Lautstärke Operettenduette, erst die erste, dann die zweite Stimme gesungen. *Wer uns getraut* hat er da zum Beispiel geschmettert oder *keiner liebt dich so wie ich*, und dabei ganz abwesend gegen die geblümte Decke gestarrt. Und manchmal hat er eine Schachtel mit Fotos aus dem sonst sorgfältig versperrten Kasten genommen und darüber sinniert. *Erinnerungen an meine Bühnenzeit* ist auf der Schachtel gestanden, aber weder ich, noch meine Mutter, haben die Bilder je aus der Nähe gesehen.

Einmal hat er mich mit sehr bedeutungsvollen, fast rituell wirkenden Gesten zu sich ins Zimmer gewinkt, mich an den Schultern genommen und mir ein an der Innenseite der Kastentür befestigtes Plakat gezeigt. Darauf war ein breitschultriger, zipfelmütziger Bauer, *der deutsche Michel,* abgebildet, und im Hintergrund waren Acker und Pflug zu sehen. Der deutsche Michel hat einen kleinen, verängstigt aussehenden Knaben mit beiden Händen an sich gepreßt gehalten. Und darunter zu lesen waren in Frakturschrift die Worte: *Hände weg von deutscher Heimaterde! Hände weg?* habe ich da erschrocken gefragt, werden dem Kind da etwa *die Hände abgehackt?* Ich habe nur begriffen, daß ein übermächtig großer, starker Mann auf dem Bild einen Buben gepackt hat. Die Worte *Hände weg* habe ich einzig und allein als gegen den Buben gerichtete Drohung verstanden. Auf die Idee, die Geste des Mannes für schützend zu halten, bin ich überhaupt nicht gekommen.

Ob irgendwo auf dem Plakat eine Hacke abgebildet gewesen ist? – daran kann ich mich nicht erinnern. Ich habe allerdings, fällt mir ein, Angst vor der verkrüppelten Hand des Herrn Albert Prinz gehabt. Dieser hat sich übrigens maßlos über meine unerwartete Reaktion geärgert. Kein Wunder, daß du es nicht verstehst, du Bankert, hat er gewettert und die Kastentür zugeschlagen.

Ob die furchtbare Szene, die noch heute im Zentrum meiner

Alpträume steht, in Anschluß daran oder an irgendein anderes *Vergehen* vorgefallen ist, ich weiß es nicht. Martha sagt der Herr Albert Prinz darin zu meiner Mutter, Martha mach das Fenster zu, der Bengel wird bestraft. Und ich habe mich aufs Bett zu legen, die Hose hinunter zu lassen und auf den Rohrstab zu warten. Und Schlag auf Schlag habe ich den Drang zum Heulen zu unterdrücken und mitzuzählen. Das wäre noch nichts besonderes, denn auf diese Weise geprügelt hat mich mein Stiefvater nicht gerade selten. Diesmal aber spart er sich die totale Erniedrigung noch für die Augenblicke nach dem Prügeln. Er drängt mich in die Küchenecke beim Gasherd und spuckt mich dort einige Male an. Und wehe, brüllt er, wenn du das abwischst! – und seine Spucke rinnt mir zäh und klebrig übers Gesicht.

Ich glaube, mein Stiefvater hat mir die tschechische Abstammung meines Erzeugers nie verziehen. Seit der Gründung der Tschechoslowakei hat er sich, darauf hat er häufig hingewiesen, *von der Scholle getrennt* gefühlt. Meine Mutter aber hat mich kaum in Schutz genommen, sondern sich, hat mich ihr Gatte wieder einmal mißhandelt, bloß, ihr Gesicht in den Händen versteckend. Ihre Komplexe wegen ihrer *undeutschen* Abkunft habe ich erst später begriffen.

Fotos von meinem ersten Mann, sagte meine Großmutter, wo denkst du hin? Von meinem zweiten Mann, ja, also von meinem zweiten Mann kann ich dir noch eine Menge Fotos zeigen. Hier, dieses Album zum Beispiel, die Fotos darin hat er alle noch selber geklebt und beschriftet. Siehst du, wie schön er geschrieben hat, meiner Seel, seine schöne Schrift habe ich immer bewundert.

Und seinen Ordnungssinn, seine Verläßlichkeit, seine Pünktlichkeit, seine Sparsamkeit, seine Autorität. Er hätte dem Walter nichts durchgehen lassen, was gegen diese Prinzipien verstoßen hat und natürlich, das kannst du dir vorstellen, auch mir nicht. Jeder hat er gesagt, hat seinen Platz, wie im großen, so auch im kleinen. Und auf diesem Platz hat jeder seine Pflicht zu erfüllen, das ist doch selbstverständlich.

Ich erinnere mich noch gut an den Sonntag, an dem ich, kurz nachdem wir geheiratet haben, meine ersten Marillenknödel habe machen müssen. Martha, hat mein Mann gesagt, es ist Marillenzeit, ich möchte Marillenknödel zu Mittag. Großer

Gott, habe ich gedacht, ich kann überhaupt keine Marillen-knödel machen, ich hab mein Lebtag noch keine Marillen-knödel gemacht. Meine Mutter hat nämlich gut gekocht, aber wir Mädeln sind nur herumgesessen und haben auf den Mann gewartet.

Ich bin also dortgestanden und habe mit dem Teig herumge-patzt und mein Bestes versucht. Aber natürlich ist nichts aus meinen Knödeln geworden, ich hab von Anfang an zu wenig Ei und Milch und zuviel Mehl erwischt, und statt mehr Flüssigkeit dazu zu tun, habe ich immer mehr Mehl genom-men. Grundgütiger Himmel, habe ich gedacht, als ich dann die steinharten, eckigen Dinger vor mir liegen gesehen habe, wenn mein Mann das sieht, der bringt mich um. Und in diesem Moment habe ich ihn auch schon hinter mir stehen gewußt, er war halt ein richtiger Mann, und man hat seine Anwesenheit, auch wenn er einen nicht berührt hat, gespürt. Und dann sind die Knödel auch schon durch die Luft geflo-gen, er hat selber etwas vom Kochen verstanden und mein Gepatze natürlich sofort durchschaut. Er hat sie ganz einfach, ohne ein Wort, an die Wand geworfen, eins ums andere, und dann hat er sich umgedreht und ist ins Gasthaus gegangen. Und ich kann dir nur sagen, ganz abgesehen davon, daß ich froh war, weil meine Kocherei für diesmal ein Ende gehabt hat, ich habe ihn dafür bewundert. Ein Mann ist ein Mann und eine Frau eine Frau, und alles andere, da könnt ihr euch mitsamt euren verrückten, modernen Ideen auf den Kopf stellen, ist Schmafu und Schmonzes.

So, jetzt wollen wir sehen, was wir hier in diesem Album finden, fix Teufel, jetzt habe ich schon wieder meine Brille verlegt! Ach hier ist sie ja, so, was schleppst du denn da für einen Folianten mit dir herum, Sigmund Freud, aber ich bitt dich, Peter, der war doch ein Jud! Gib das weg, und schau lieber hierher, Klausenleopoldsdorf 1919, jaja, dort waren wir damals jeden Sommer auf Urlaub. Mein Mann hat Schmetterlinge gefangen, siehst du, er hat sie mit Äther betäubt, auf Nadeln gespießt und in großen Sammelkästen verwahrt, die kann ich dir nachher zeigen. Auch deinem Vater hat er damals das Sammeln und Präparieren von Schmetterlingen beibringen wollen. Aber der hat dagegen, wie gegen alles, was ein wenig Genauigkeit erfordert hat, eine Abneigung gehabt. Und gerade darauf hat mein Mann so großen Wert gelegt, bei dem war alles bis in die kleinste Kleinigkeit organisiert. Sogar die Sonntagsausflüge in den Wienerwald: Abfahrt 8 Uhr 30 Stadtbahnstation Kettenbrückengasse, Mittagsrast Rohrhaus Lainzer Tiergarten 11 Uhr 45 usf.

Die deutsche Überlegenheit, sagt die Stimme meines Vaters auf dem Tonband über den Krieg in Frankreich, war vor allen Dingen eine Überlegenheit der Organisation. Wie das alles geklappt hat, die Ausgabe und die Ausführung der Befehle, die Zusammenarbeit der verschiedenen Waffengattungen etc., also darauf war man richtig stolz. Auf die Sekunde genau ist der Einsatz der Stukas erfolgt, auf den Meter exakt getroffen hat die Artillerie. Vom Aspekt der Präzision kann ich dir nur sagen, war der Frankreichfeldzug ein wahrer Genuß.
Der Ort Soissons, hat es zum Beispiel geheißen, ist um 14 Uhr 20 zu nehmen. Weitermarsch 15 Uhr 40 Chateau Thierry. Chateau Thierry ist um längstens 18 Uhr in deutscher Hand. Das war wie ein Fahrplan, und in Frankreich haben wir diese Fahrpläne auch noch eingehalten.
Mein Stiefvater hätte mit uns seine Freude gehabt. Auch und besonders mit mir als Kriegsberichter. Siehst du, hätte ich ihm jetzt zurufen können –: Du hast mich dein halbes Leben lang unterschätzt! Denn auch und gerade als Fotograf bin ich auf meinem Platz gestanden, habe ich wie jeder andere deutsche Soldat meine Pflicht erfüllt. Vom Stab der Propagandakompanie hat man uns Kriegsberichter in den jeweils interessantesten Frontabschnitt gefahren oder geflogen. Dort haben wir uns beim 1 c, dem über den genauen Operationsplan informierten Verbindungsoffizier zum OKW zu melden gehabt. Und in einem verschlossenen, zum Zeitpunkt des Angriffs in Gegenwart des Kommandanten zu öffnenden Couvert war unser Einsatzbefehl.
Die Aufgabe, alles, was in diesem Frontabschnitt geschehen würde, auf möglichst propagandawirksame Weise ins Bild zu bringen, war aufs beste zu lösen. Man hat sich um nichts herumdrücken können, sondern hat die Attacken, wenn auch ohne unmittelbare aktive Beteiligung, in ihrem Zentrum mitgemacht. Zur Erleichterung dieser Aufgabe hat man allerdings in den meisten Fällen zwei sogenannte Gorillas

gehabt. Diese Gorillas haben dem Kriegsberichter, sofern das – aber das ist häufig vorgekommen – notwendig war, den Weg zu seinen Motiven freigeschossen.

2

Als wir beim Fernsehen saßen und die Sendung *Tatort* anschauten, klingelte das Telefon. Jetzt ist es akut, sagte die Stimme meiner Mutter, komm schnell! Da alle Taxinummern besetzt waren, entschloß ich mich, die Strecke von unserer Wohnung bis zur Wohnung meiner Eltern zu laufen. Im Waldmüllerpark begegnete ich einem Liebespaar, das versperrte mir, angeheitert oder bloß ausgelassen torkelnd, den Weg. Ich kam völlig verschwitzt vor der Wohnungstür meiner Eltern an, meine Mutter machte mir auf. Das Klo schwamm in erbrochenem Blut, das sollte man bis zum Eintreffen des Ärztenotdienstes nicht wegwischen. Mein Vater lag im Bett und wirkte noch viel kleiner und blasser als sonst. Über sein merkwürdig greisenhaftes Kinn floß ein dünner Streifen Blut auf die Tuchend.
Nein, nein, sagte er, und versuchte den Kopf zu schütteln, ich will nicht wieder ins Spital. Ich wußte nicht, was ich darauf antworten sollte und setzte mich ihm zu Füßen in einen Fauteuil. Von hier aus wirkte sein Körper noch kürzer, Kehlkopf und Kinn ragten ziemlich verloren aus dem Bettzeug. Die Katze war sehr nervös und wollte sich auch durch mein betont behutsames Streicheln nicht beruhigen.
Wieso bist du eigentlich da, fragte schließlich mein Vater, und ich sagte, die Mutter habe mich angerufen. Nein, nein, sagte er, und diesmal gelang ihm das Kopfschütteln wirklich, noch einmal mach ich das nicht mehr mit. Dann hörte ich ein Auto vorfahren und schaute, den Vorhang beiseite schiebend, aus dem Fenster. Unten parkte der Ärztenotdienstwagen, zwei Personen stiegen aus und näherten sich dem Haustor.
Daß der Arzt eine Ärztin, jung, groß und blond, war, heiterte meinen Vater noch für einige Augenblicke auf. Ich möchte, sagte er, mit einer Stelze und einem Glas Wein in der Hand sterben, aber glauben Sie, dieser blöde Körper schafft es? Oder mit ihnen gemeinsam, Frau Doktor, mit offenen

Pulsadern in der Badewanne! – Die Ärztin lachte und betrachtete aufmerksam die Fingernägel meines Vaters.

Sie rollte den linken Ärmel seines Pyjamas hoch und griff nach der inzwischen vom Sanitäter vorbereiteten Spritze. Keine gescheiten Venen, sagte sie, hat der Mann, aber Angebote möcht er mir machen! Was meinen sie, wenn ich drauf einsteig – ich hab meinen Mann. Der weckt Sie noch einmal auf vom Tod und verhaut Sie.

Als die Injektionsnadel in ihn eindrang, zuckte mein Vater zusammen. Dann mußte er abermals brechen, und der weiße Mantel der Ärztin war voll Blut. Macht nichts, sagte sie, legen Sie sich ruhig hin, es wird gleich besser. Auch auf dem Boden war Blut und darin schwammen feste Brocken, die aussahen, wie Nieren.

Dann begann mein Vater am ganzen Körper zu zittern, obwohl er sich sichtlich gegen das Zittern wehrte. Der Sanitäter bereitete noch eine Spritze vor, und die Ärztin half meinem Vater, sich im Bett auf den Bauch zu drehen. Sie entblößte sein Gesäß und diesmal zuckte mein Vater beim Eindringen der Injektionsnadel nicht mehr. Rufen sie die Rettung, sagte die Ärztin zum Sanitäter, bis wir ein Spitalsbett bekommen, ist es zu spät.

Die Rettungsmänner stellten die Bahre ins Vorzimmer und hoben meinen Vater, sichtlich überrascht über sein Fliegengewicht, aus dem Bett. Als mein Vater auf der Bahre lag, suchte sein Blick meine Mutter und meine Schwester. Ich zog meine Jacke an und steckte die Befunde vom letzten Spitalsaufenthalt zu mir. Ich telefoniere, sagte ich zu meiner Mutter, sobald ich etwas Genaueres weiß.

Die folgenden Minuten sah ich gespiegelt durch die Augen meines Vaters. Die Sanitäter trugen ihn durchs Stiegenhaus, alles drehte sich, die Gesichter der Nachbarn schauten aus den Türen. Manchmal kam man diesen Gesichtern näher, manchmal entfernte man sich wieder von ihnen. Da waren auch die Gesichter der Sanitäter, da war auch mein Gesicht, alles bewegte sich schwankend, alles schwamm.

Die Stimmen der Sanitäter fluchten über die Architekten, die beim Bau von Stiegenhäusern nicht an den Transport von Tragbahren dachten. Der Hausmeisterbub öffnete das Haustor und starrte meinen Vater an. Dann schlug uns kurz die Nachtluft entgegen, und dann hielten wir schon vor dem

Rettungsauto. Die Türe wurde geöffnet und die Bahre hineingeschoben, wie das Brot in den Ofen.

Ein Sanitäter notierte die Personalien und mein Vater bestand darauf, sie selbst zu diktieren. Sind sie schon in Pension, fragte der Sanitäter und mein Vater betonte: nein, ich bin noch aktiv. Wenn sie brechen müssen, sagte der Sanitäter, ich gebe ihnen Zellstoff. Nein, sagte mein Vater, ich muß nicht brechen, es geht mir ganz gut. Auf der Triesterstraße stand ein dunkelhäutiger Zeitungsverkäufer und hielt uns eine Zeitung entgegen. Ich las eine Überschrift über die Fußballweltmeisterschaft, wußte aber nichts damit anzufangen. Mein Vater hatte die Augen jetzt geschlossen, seine kerzengerade gegen das Autodach ragende Nase wirkte ungewohnt spitz. Wir sind gleich da, sagte der Sanitäter, mein Vater schrak zusammen und schlug die Augen wieder auf.

Dann waren wir im Aufzug, dann in einem langen Gang, dann in einem weißen Zimmer mit zwei Betten. Mein Vater fiel ins erste, mußte aber gleich darauf zur Waschmuschel, um neuerlich zu erbrechen. Ich stützte ihn unter der Achsel und half ihm ins Bett zurück. Die Schwestern hatten Angst um das weiße Leintuch und spannten eine Lage Kautschuk.

Während mein Vater dort lag und auf die Bluttransfusion wartete, betrachtete ich sein abwesendes Gesicht mit Interesse. Ich *ertappte* mich dabei, daß ich sein abwesendes Gesicht mit Interesse betrachtete. Als mich die Schwester aufforderte, nun zu gehen, empfand ich ein recht seltsames Gefühlsgemisch aus Erleichterung und Bedauern. Und beim Nachhausegehen liefen die Eindrücke dieses Abends noch einmal durch meinen Kopf *wie ein Film*.

Daß ich, sagt mein Vater, ausgerechnet die Fotografie zu meinem Beruf, ja zu meiner Berufung gemacht habe, ist eigentlich komisch. Denn meine ersten Kontakte mit Fotografen oder Fotoapparaten waren durchwegs negativ. Meine früheste diesbezügliche Erinnerung zum Beispiel ist die Erinnerung an eine elendige Tortur. Ich sitze eingezwängt in einen hohen Stuhl, vis à vis steht ein Mann hinter einem furchterregenden, dreibeinigen Kasten, hat ein Tuch über dem Kopf und schaut nur manchmal mit kurzsichtig fischhaftem Blick darunter hervor.

Bubi, sagt er in näselndem Tonfall, Bubi, paß auf, gleich

kommt das Vogi heraus aus dem Käfig. Aber das Bubi paßt nicht auf, sondern heult lautstark drauflos, das Vogi ist ihm piepegal. Die Mama und irgendeine Tante reden gleichzeitig auf das Bubi ein und versichern, daß der Fotoonkel wirklich ein Vogi hervorzaubern wird. Als sie aber versuchen, dem Kleinen mit einem feuchten Taschentuch das Gesicht zu reinigen, fängt das Gebrüll wieder an.

In die allgemeine Ratlosigkeit bellt der Fotoonkel plötzlich ein böses Wauwau. Das Bubi erstarrt vor Schreck, der Fotoonkel drückt auf die Gummikugel – geschafft! Das Ergebnis –: ein Häufchen Unglück mit kreisrunden Angstaugen auf einem braungetönten Bild. Auf der Rückseite in verschnörkelten Buchstaben das Impressum *Carl Schuster, Academischer Maler & Fotograf.*

Später hat mir dann der Herr Albert Prinz zu irgendeinem feierlichen Anlaß eine Box Tengor geschenkt. Eins der Hobbies meines vielgeliebten Stiefvaters war nämlich die damals noch lang nicht sehr populäre Amateurfotografie. Sonntag für Sonntag hat er meine Mutter und mich mit wanderlustigen Mienen vor Wegweiser oder naturgeschützte Baumriesen arrangiert. Und anderthalb Wochen danach haben wir uns über ein paar winzige, zackenrändige Bildchen zu freuen gehabt.

Das Steckenpferd des Herrn Albert Prinz hat mich jedenfalls – Box Tengor hin und her, nicht im geringsten interessiert. Das Steckenpferd des Herrn Albert Prinz ist mir – Box Tengor hinten und vorn – auf die Nerven gegangen. Also habe ich die Box Tengor, drei Tage nachdem ich sie bekommen habe, ins Versatzamt getragen. Und natürlich hat es, sobald die Sache dann aufgeflogen ist, eine kräftige Tracht Prügel gesetzt.

Aber mit dem Fotografieren war es bei mir im Grunde genauso, wie mit dem Schwimmen. Auch das Schwimmen nämlich hat mir mein Erziehungsberechtigter vorerst vergeblich beizubringen versucht. In Klausenleopoldsdorf, wo wir im Sommer auf Urlaub waren, hat es einen Teich gegeben. Und in diesen Teich hinein hat mich der Herr Albert Prinz trotz des in diesem Sommer denkbar schlechten Wetters gehetzt.

Wir werden uns jetzt, hat er gesagt, so als machten wir gemeinsame Sache, körperlich ertüchtigen. Wir werden jetzt,

34

hat er gesagt, und ist angezogen am Ufer gestanden, während ich im Wasser gefroren habe, das Schwimmen erlernen. Vom Ufer aus hat er mir dann gezeigt, wie ich die Tempi zu machen habe, eins zwei, eins zwei. Du kommst hier nicht heraus, hat er gesagt, bevor du nicht wenigstens fünf Meter weit frei geschwommen bist.

Ich habe die Tempi gemacht und bin unter Wasser auf den Knien gegangen. Eins zwei, eins zwei – nur dumm, daß der Teich voll lauter spitzer Steine war. Beim Herauskommen haben mich meine blutigen Knie verraten. Und ich habe noch dazu die obligaten Watschen gekriegt.

Jahre danach allerdings, als ich einmal von einem Segelboot auf der Alten Donau ins Wasser gefallen bin, habe ich das Schwimmen nicht erst zu erlernen brauchen, sondern ganz einfach gekonnt. Und mit dem Fotografieren war es ähnlich –: eines Tages, während der schlimmsten Arbeitslosigkeit, bin ich plötzlich mit einer alten Leica in den Händen dagestanden und dem Auftrag, Bilder vom Bau der neuen Reichsbrücke zu bringen. Ohne Grund unter den Füßen ist mir gar nichts anderes übriggeblieben, als Schwimmbewegungen zu machen. Und ich bin, obgleich ich bis dahin keine Ahnung von meinen Talenten gehabt habe, sowohl im Wasser als auch in der Fotografie in meinem Element gewesen.

Das war aber erst nach dem Tod des Herrn Albert Prinz, da war für eine geraume Zeit alles in mir total durcheinander. Und auch um mich herum ist alles in immer ärgerem Ausmaß durcheinandergekommen. Versuche ich, mich an diese Zeit zu erinnern, so blitzen in meinem Gehirn nur diese oder jene Erinnerungsschnappschüsse auf. Solche Schnappschüsse in eine genaue, chronologische Reihenfolge zu bringen, ist mir so gut wie unmöglich.

Ich sehe mich zum Beispiel schneeschaufeln an der Wienzeile oder Obstkisten stapeln auf dem Naschmarkt, umgeben von anderen Gelegenheitsarbeitern in langen, grauen Mänteln. Hier und da habe ich auch in meinem erlernten Beruf – als Friseur – gepfuscht, aber mit der Schönheitspflege war in diesen häßlichen Jahren nicht mehr viel Geld zu machen. Und vorbeimarschiert mit Trara sind die Heimwehrler oder die Schutzbündler oder die ostmärkischen Sturmscharen, alles eins. Wo man ein Paar Würstel bekommen hat oder ein Seidel

Bier oder etwas Warmes zum Anziehn, dort ist man mitgerannt.

Nach dem Tod meines Stiefvaters habe ich mich mit der Notwendigkeit konfrontiert gesehn, für meine Mutter, die, ans Hausfrauendasein gewöhnt, erst recht keine Arbeit gefunden hat, und mich, auf egalwelche Weise Geld zu verdienen. Habe ich nach drei oder vier Vorsprachen hier und dort wieder einmal keinen Job gefunden, so ist es mir vor allem darum gegangen, nicht für den Rest des Tages meiner Mutter vor der Nase zu hocken. Da hat mich ein Bekannter, der ebenfalls vergeblich nach Arbeit suchende Ferlitsch Franzl, darauf aufmerksam gemacht, daß man bei den Verhandlungen in den diversen Bezirksgerichten zuhören könne. Gute Idee, habe ich mir gedacht, und habe mich in den folgenden Tagen von einem Verhandlungssaal in den anderen gesetzt.

Es war Winter und bitter kalt, für mich waren die Verhandlungssäle der Bezirksgerichte zuallererst Wärmestuben. Aber aus einer Mischung von Langeweile und Interesse habe ich angefangen, was man da über Ehrenbeleidigungen, kleine Diebstähle etc. verhandelt hat, mitzuschreiben. Da schaut mir einer über die Schulter und rät mir, meine Notizen doch einer Tageszeitung, bei der er, wenn auch in einem anderen Ressort, beschäftigt ist, anzubieten. Nicht schlecht, die Geschichterln, sagt der Lokalredakteur, aber können Sie uns nicht auch Fotos bringen?

Aber natürlich, habe ich geantwortet, denn damals, um die Mitte der Dreißigerjahre, irgend etwas, mit dem Geld zu machen war, nicht zu können, wäre Irrwitz gewesen. Und während ich mit der Straßenbahn hinaus zur Reichsbrücke gefahren bin, habe ich die seltsamen und mir völlig rätselhaften Zahlen ums Objektiv der Kamera studiert. Nimmst du auch 30/5,6, habe ich dort, geschäftig an den Belichtungs- und Blendenringen drehend, einen ebenfalls mit einer Kamera umherlaufenden, also offenbar aus dem selben Grund wie ich anwesenden, baumlangen Lackel gefragt. Und der hat geringschätzig auf mich herunter geschaut, durch eine Zahnlücke gespuckt und gesagt: Stoppel, wir haben Sonne!

Aus Tonfall und Mimik habe ich entnommen, daß irgend etwas an den von mir vorerst einmal auf gut Glück eingestellten Werten nicht in Ordnung war. Und habe Blende 11 mit

1/50 kombiniert, und siehe da, es hat geklappt. Ein bißchen überbelichtet sind Ihre Bilder ja schon, hat der Lokalredakteur gebrummt, aber die Perspektive, also die Perspektive finde ich richtig gut. Auf ebenso einfache wie einprägsame Weise vermitteln sie unseren Lesern die imposante Gefährlichkeit der Brückenbauarbeit.

Und dabei hat der Lokalredakteur keine Ahnung gehabt, daß ich keineswegs aus irgendeiner fotografischen Tugend, sondern einzig und allein aus menschlicher Not auf die Brückentraversen geklettert bin. Denn was mein großer, starker Kollege mit der Zahnlücke einfach frontal fotografiert hat, das habe ich, verschwindend klein, wie ich unter all den beim Brückenbau zugaffenden Arbeitslosen war, überhaupt nicht aufs Bild gekriegt. Von da an habe ich es mir zum Prinzip gemacht, mit der Kamera Bäume, Balkone, Türme, Bunker und was sonst noch aus der Gegend hervorragt, zu erklettern. Und war somit kaum im Geschäft, wie du siehst, ein Pressefotograf, dessen Spezialität darin bestanden hat, seine Motive meistens von oben herab zu bekommen.

Kaum im Geschäft aber packt meinen Vater auch eine Leidenschaft für seinen Beruf, gerät er in eine Abbildungsmanie, die weit übers Geschäft, das heißt, über den rein kommerziellen Aspekt der Sache, hinausreicht. Eine Leidenschaft für seinen Beruf, eine Abbildungsmanie, die ich, habe ich ihn doch nie ohne sie erlebt, überhaupt nicht von seiner Person zu trennen imstande bin. So gut wie nie habe ich ihn ohne Kamera gesehen, man kann nicht wissen, sagt er, ob sich nicht hinter der nächsten Ecke die Sensation des Tages abspielt. Die Kamera ist mein Talismann, sagt er, die Kamera ist mein Feigenblatt – ohne Kamera fühle ich mich gefährdet und nackt.

Jetzt, obwohl er todkrank war, mußten wir ihm seine Leica ins Spital bringen, er richtete sich mühsam aus dem Bettzeug auf und fotografierte Patienten, Ärzte und Schwestern. Dieser Mann, sagte der Professor, ist ein Quecksilber, und ein medizinisches Wunder ist er überdies. Kaum haben wir ihm gesagt, er dürfe aufstehen, um aufs Klo zu gehen, war er schon nicht mehr zu halten. Ich glaube, er fotografiert noch seinen eigenen Tod.

Und damals, sagt mein Vater, du meine Güte, was hat es damals alles zu fotografieren gegeben! Aufmärsche, Versammlungen, Kundgebungen – was das betrifft war hundert-, ja tausendmal mehr los als heute! Kein Tag ist ohne fotogene Tumulte vergangen, saftige Saalschlachten waren an der Tagesordnung. Und zum fotografieren, kann ich dir sagen, also zum Fotografieren ist eine saftige Saalschlacht das Schönste, was es gibt.

Daß ich mich zu einem fotografischen Experten für Saalschlachten entwickelt habe, das habe ich, so widersinnig sich das auch aufs erste anhören mag, wieder meiner geringen Körpergröße zu verdanken. Ich war nämlich flink und gewandt und habe, wo andere längst steckengeblieben und in eine Rauferei verwickelt worden sind, durchschlüpfen können, wie eine Ratte. Und die Sesselhaxen sind meist einen halben Meter über meinem Kopf geflogen, die haben mich nicht verletzt. Zwar ist mir bei solchen Gelegenheiten trotzdem hier und da eine Kamera draufgegangen, aber bezahlt hat die Firma.

Nicht lang nämlich und ein Kollege hat mich für die internationale Fotoagentur Ernst & Hielscher angeworben. Im von dieser Agentur belieferten Ausland aber ist man nach Fotos von politisch gefärbten Handgreiflichkeiten ganz wild gewesen. In bezug auf die Weltpolitik war ja Österreich damals eine Art von Probebühne. Und die Vorwegnahme gewisser politischer Entwicklungen hat offenbar besonders den Zeitungslesern drüben in Amerika ein lüsternes Gruseln verursacht.

Mich als jungen Pressefotografen aber hat an alldem weniger das wer gegen wen, weniger das warum und weshalb interessiert. Was mich interessiert und oft sogar fasziniert hat, waren die Geschehnisse an und für sich. Diese Geschehnisse habe ich vor meiner Kamera ablaufen lassen, diese Geschehnisse sind mir samt und sonders Motive gewesen. Und auch wenn ich mittendrin war, habe ich mich bis zu einem gewissen Grad immer außerhalb der Geschehnisse gefühlt.

Wenn ich vor einem brennenden Haus stehe, und ich sehe, wie die Leute aus den Fenstern springen, so wird mir das *als Mensch* furchtbar leid tun. *Als Fotograf* aber wird es mir Motiv sein, und ich werde, den Finger am Auslöser, davor stehen, knien oder liegen und lauern. Und mein Fotografengehirn wird nichts anderes im Sinn haben, als die genaue Entfernung, die richtige Belichtungszeit und die entsprechende

Blende. Und wenn die Frau, die soeben aus dem vierten Stock springt, genau am zweiten Stock vorbeikommt, drücke ich ab.

Ich klappte die Schreibmaschine zu, schlüpfte in den Mantel und beschloß, meine Mutter zu besuchen. Jetzt, wo der Papa nicht da ist, dachte ich, während ich in die Straßenbahn stieg, wird sie sich freuen, wenn ich komme. Obwohl ich einen Vorverkaufsfahrschein in der Tasche hatte, ging ich am Fahrscheinentwertungsautomaten vorbei und fuhr schwarz. Als ich aber an der Haltestelle Matzleinsdorferplatz einen Kontrollor stehen sah, erschrak ich über die früheste, unmittelbare Erinnerung an meinen Vater.

Ich sah ihn, eine Entwicklerzange voll tropfender Fotos in der Hand, aus dem Kellerloch stürzen, das er sich als Laboratorium eingerichtet hatte. Die Momentaufnahme seiner Bewegung erinnerte mich an die Zeichnung vom Schneider mit der Scher aus dem Struwelpeter. Ich selbst stand am Fußabstreifer, klopfte mir den Schnee von den Füßen und rief den Namen meiner Mutter die Treppe hinauf. Lange Zeit, erzählte sie, hast du das R nicht richtig ausgesprochen, und statt Rosa Chosa gesagt.

Ich mußte ungefähr dreieinhalb Jahre alt gewesen sein, an die Heimkehr meines Vaters, die etwa ein Jahr früher erfolgt sein mußte, erinnerte ich mich nicht. Ich erinnerte mich nur an meine Mutter, wie sie am Abend an meinem Gitterbett saß und mir mit einer sanften Mädchenstimme *auf dem Dach der Welt* sang. Und wie sie mir eine Tasse Tee brachte und eine Aspirintablette hineinfallen ließ, als ich einmal krank lag. Und wie sie mir eine Orange schälte mit ihren überaus roten, spitzgefeilten Nägeln.

Das war aber vermutlich nicht mehr in der Heumühlgasse 12, sondern bereits in der Keinergasse 11 gewesen. Ein Berufskollege hatte meinem Vater seine zur Hälfte durch einen Bombentreffer zerstörte Wohnung überlassen. Die Frau und die Tochter dieses Kollegen waren einige Tage nach Kriegsende während einer stürmischen Nacht mit dem von da an fehlenden Schlafzimmer abgestürzt. Ich sah eine Tür, die hinaus in die Schutthalde führte und nicht geöffnet werden durfte.

Mein Vater hatte diese Tür, fiel mir ein, eines Tages vernagelt, aber vielleicht hatte ich diese Szene nur geträumt. Sicher schien mir, daß er einmal aufs Dach geklettert war, um eine schadhafte Stelle zu reparieren. Ein anderes Mal hatte er von irgendeinem Kästchen die Furnier abgenommen, ich sah ihn deutlich vor mir, wie er, in der Hand einen Schraubenzieher, davorkniete. Und wartete, halb angeekelt, halb fasziniert, bis sich die Furnier löste, denn darunter, wußte ich, wimmelte es von Wanzen.

Er hatte für die *Weltillustrierte*, eine von der russischen Besatzungsmacht bezahlte Zeitung, gearbeitet, und war ungefähr 1947, also um mein viertes Lebensjahr, nach dem rumänischen Auffanglager Marmorosch Szigeth gefahren, um die dort zusammengestellten Heimkehrertransporte zu fotografieren. Etwa ein halbes Jahr war er, da sich die Rückführung der Rußlandheimkehrer erheblich verzögert hatte, dortgeblieben, und ich hatte ihn während dieser Zeit so rasch wie bereitwillig vergessen. In seiner Abwesenheit, erinnerte ich mich, hatte ich meistens im Bett meiner Mutter geschlafen. Als er dann eines Morgens wieder neben ihr gelegen war (ich war, kam mir vor, durch seine Stimme, jedenfalls aber durch ein von ihm verursachtes Geräusch aus dem Schlaf erwacht) hatte ich seine Rückkunft zuerst gar nicht wahrhaben wollen.

Das ist aber schön, sagte meine Mutter, daß du mich besuchen kommst, weißt du, ich mache mir solche Sorgen um den Papa. Zwei Monate mindestens, haben die Ärzte gesagt, bleibt er diesmal, wenn alles gut geht, im Spital. Und wenn etwas nicht gut geht, Jesusmaria, ich getraue mich gar nicht, daran zu denken! Wenn ich mich daran erinnere, wie mein Vater gestorben ist, auf einmal war er weg, und die Oma war allein mit nichts als Erinnerungen in der leeren Wohnung, dann kommen mir die Tränen.

Weißt du, man gewöhnt sich ganz einfach an einen Menschen, wenn man so lang mit ihm beisammen ist. Wenn ich manchmal am Abend nach dem Essen noch beim Küchentisch sitze und will die Zeitung lesen, weil ich den ganzen Tag vor lauter Haushalt nicht dazu komm, und der Papa liegt schon im Bett und schreit: Rosa, komm doch, ganz einfach weil er gewöhnt ist, daß ich neben ihm liege, und wenn ich nicht neben ihm liege, dann fühlt er sich irritiert und schläft nicht ein, also da geht er mir schon recht auf die Nerven. Aber jetzt, wo ich stundenlang beim Küchentisch sitzen könnte, und könnte in aller Ruhe den ganzen Stoß angelesener Zeitungen, der sich da in den letzten Wochen auf dem Küchentisch angesammelt hat, zu Ende lesen, geht mir dieses Rosa-Geschrei ab. Und dann höre ich auf einmal die Uhr ticken oder den Wasserhahn tropfen und fühle mich schrecklich verloren. Und dann gehe ich halt ins Badezimmer und wasche die Wäsche, die dort auf mich wartet. Dein Bruder ist aus dem Haus, und deine Schwester sehe ich bestenfalls zeitig in der Früh, aber die Wäsche wird und wird nicht weniger. Oder ich stelle mich zum Abwasch und spüle das Geschirr ab, das sich darin auftürmt. Es ist kein Mensch da, der mit mir ißt und trinkt, aber der Geschirrberg wird immer größer und größer. Weißt du, wenn er zum Beispiel mit dreckigen Schuhen an den extra für ihn vorbereiteten Schlappen vorbeilatscht, der Papa, oder beim Kirschenessen die Kerne statt auf den eigens bereitgestellten Teller auf den Boden spuckt, da kann ich mich schon über ihn ärgern. Wozu rackere ich eigentlich, denke ich dann manchmal, ich putze und wasche von früh bis spät, und er beachtet das kaum. Aber jetzt, wo ich endlich einmal ungestört gründlich machen könnte, und er würde mir nicht dazwischen kommen, jetzt freut es mich nicht. Und dann setze ich mich wieder an den Tisch und starre stundenlang vor mich hin und mag überhaupt nichts mehr tun.

Was willst du, in dem Papa seinen Kriegspapieren schmökern, na ich weiß nicht, ob ihm das recht wär. Aber meinetwegen, er muß es ja nicht wissen, geh ins Labor und such dir, was du brauchst. Ich glaub, es sind auch Feldpostbriefe da, über die mußt du nicht lachen, wir waren damals sehr jung. Einmal hat mir der Papa etwas daraus vorgelesen, da habe ich selber ein bißchen lachen müssen, weil man sich so verändert.

Ich ging also ins Labor und holte mir einen Ordner mit der Aufschrift Dezember 1939 bis Mai 1940 aus dem Regal. Nachdem ich ihn mit dem Ärmel abgestaubt hatte, schlug ich ihn auf und begann, in den darin enthaltenen Papieren zu blättern. Briefe, Dokumente, Andenken – die Blätter waren vergilbt, ich mußte mich erst an die manchmal befremdlich steile Handschrift meines Vaters gewöhnen. Schließlich aber konnte ich sie schon recht flüssig lesen und vertiefte mich in den folgenden Brief: Liebes Roserl, ich weiß noch nicht, wo ich diese Nachricht an Dich aufgeben kann, wir fahren Tag und Nacht, und wohin es genau geht, davon habe ich keine Ahnung. Außerdem dürfte ich Dir das gar nicht schreiben, selbst wenn ich es wüßte, das wirst du verstehn. Ich will Dir nur zeigen, daß meine Gedanken, wo immer ich bin, in erster Linie bei Dir sind. Zeig diesen Brief bitte auch meiner Mutter, denn wann ich wieder zum Schreiben komme, ist ungewiß. Die Bahnfahrt ist äußerst langweilig, unser Zug ist mit einem unübersehbaren Konvoi von Lastautos gekoppelt. Wir fahren jetzt schon an die zwei Tage und Dein Walter würde Dir sicher gar nicht mehr gefallen, so schmutzig und unrasiert. An den Bahnstationen bekommen wir vom Roten Kreuz, NSV und so weiter, Suppe und Tee. Das ist weder besonders viel, noch besonders gut, aber die Hauptsache ist, daß es wärmt. Während der Nacht wird es nämlich empfindlich kalt in den ungeheizten Waggons, und das Schlafen auf den harten Bänken ist auch nicht gerade angenehm. Gegen Morgen stehe ich manchmal auf und schaue aus dem Fenster, aber meistens ist es draußen neblig und grau. Doch wo immer wir sind – ich bin jetzt Soldat, Roserl, und tue meine Pflicht. Auch wenn mir der Abschied von Dir unendlich schwer geworden ist, auch wenn ich gestern Nachmittag beinah hab weinen müssen – der Führer wird schon wissen, was er tut.

In die Nähe der Nazis gekommen, sagt die Stimme meines Vaters, bin ich infolge der sich im Laufe der Jahre immer schärfer profilierenden, politischen Einstellung des Herrn Albert Prinz. Zum Titel eines Oberoffizials hat sich letztlich der Titel eines Obersturmbannführers geschlagen. Das war so ähnlich wie mit dem Fotografieren: die politische Betätigung meines Stiefvaters ist mir im Anfang genauso egal oder zuwider gewesen, wie seine Knipserei. Und trotzdem bin ich in seine Spur geraten, wenngleich – und auch das ist eine Parallele zu meiner Karriere als Fotograf – erst nach seinem Tod in vollem Ausmaß.
Eines Tages, mit ungefähr zwölf Jahren, habe ich meinem Stiefvater eröffnet, daß ich zu den Pfadfindern gehen wolle.

Mein Freund, der Ferlitsch Franzl, ist nämlich zu den Pfadfindern gegangen, und da ich sonst keine Freunde gehabt habe, habe ich gesagt: ich gehe mit. Zu den Pfadfindern – gibt sich die Stimme meines Vaters auf dem Tonband unwirsch – warum willst du ausgerechnet zu den Pfadfindern? Wegen der Hüte – antwortet eine eingeschüchterte Kinderstimme – zu den Pfadfindern will ich wegen der großen Hüte! Außerdem wandern die Pfadfinder hinaus in die Natur, singen Lieder und sitzen am Lagerfeuer. Ich will auch hinaus in die Natur wandern, Lieder singen und am Lagerfeuer sitzen. Quatsch – sagt die unwirsche Stimme – die Pfadfinder sind eine freimaurerische Bewegung! Du gehst zum Deutschen Turnerbund, dort wandern und singen sie besser und Hüte tragen sie auch.

Am nächsten Morgen hat mich der Herr Albert Prinz beim Deutschen Turnerbund einschreiben lassen. Und obwohl mir das nicht von Anfang an bewußt war, denn ich habe ja eigentlich nur in der Nähe meines Freundes bleiben wollen, hat mir der Deutsche Turnerbund im Grunde den selben Zweck erfüllt, den mir wahrscheinlich die Pfadfinder erfüllt hätten. Die Uniform, weißt du, die Uniform hat für mich eine Riesenrolle gespielt. Eine Uniform anzuziehen wie eine Tarnkappe und dadurch als der Schrapp, der ich bis dahin einzig und allein war, zu existieren aufzuhören, das war mein Traum.

Zwar habe ich unter dem großen Hut – die deutschen Turner haben recht abenteuerliche Hüte nach südafrikanischem Muster getragen – ausgesehen, wie ein Schwammerl. Aber es war mir daran gelegen, endlich einmal Anerkennung zu finden als gleicher unter gleichen. In der *Bürgerschule* habe ich eine solche Anerkennung nicht gefunden. In der Bürgerschule bin ich immer der Kleinste und Mißachtetste gewesen.

Sowohl aus dem Johanneum als auch von zu Hause her, habe ich die Gewohnheit mitgebracht, bei jeder mehr oder minder raschen Bewegung eines andern zurückzuzucken. Ich bin *verschlagen* gewesen, weißt du, und du mußt bedenken, dieses Wort umfaßt einen Prozeß. Die Mitschüler haben meine Unsicherheit gespürt und sich durch gerade diese Unsicherheit verunsichert gefühlt. Und wer die anderen verunsichert *und* schwach ist, der ist zum Aschenputtel prädestiniert.

Einmal nach der Schule fesseln mich ein paar Mitschüler an einen versteckten Birkenstamm im Klagbaumpark und verschwinden. Erst viel später befreien mich Passanten, die mein verzweifeltes Rufen hören, aus dieser peinlichen Lage. Ein anderes Mal werde ich von meinen Kollegen richtiggehend an die Wand gestellt und mit Schneebällen benagelt. Ich werde nicht getroffen, nur meinen Umriß ziehen die platzenden Schneebälle nach, aber die Situation ist trotzdem zum Heulen.

In meiner Hilflosigkeit spucke ich auf einen meiner Quälgeister los und bemerke, wie wirksam das ist. – Seither war, kaum habe ich mich auch nur einigermaßen bedroht gefühlt, die Zunge zu einem Röhrchen zu rollen, tief Luft zu holen und den Gegner an eine möglichst empfindliche Stelle zu treffen, eins. Mit dieser meiner plötzlich entdeckten Wehrhaftigkeit aber habe ich mir einen Namen eingewirtschaftet, der mir, so sehr er mich geschmerzt hat, meine ganze Bürgerschulzeit hindurch geblieben ist. *Giftzwerg* haben die andern, meinen Spucksalven ausweichend, gehöhnt, und da mir darauf erst recht nichts eingefallen ist, als zu spucken, bin ich ihn nicht losgeworden.

Dem Spitznamen *Giftzwerg* war übrigens der Spitzname *Judenzwerg* sehr ähnlich. So haben die andern Grünzweig, einen ebenfalls nicht besonders groß gewachsenen Mitschüler mosaischen Bekenntnisses, genannt. Auch mit verschiedenen Spottversen wie *Jud, Jud spuck in' Hut* haben sie ihn gerne malträtiert. Aber er hat eine, ich weiß nicht, ob überlegene, ob abgestumpfte Art gehabt, sie zu ignorieren.

Schon wegen der äußerlichen Ähnlichkeit, vor allem aber wegen der Ähnlichkeit unserer Positionen, die keine waren, wäre es für uns naheliegend gewesen, uns zusammenzutun. Daß wir es nicht getan haben, führe ich heute auf beiderseitige Vorurteile zurück. Er hat schlechte Erfahrungen mit den Goj gehabt und auch in mir einen gesehn. Und für mich war das Wort Jud ein Schimpfwort, obwohl ich eigentlich keine Ahnung gehabt habe, warum.

Freunde habe ich jedenfalls unter meinen Mitschülern keine gehabt. Und warum sich der Ferlitsch Franzl – er war der Nachbarbub - nicht, wie all die andern, geniert hat, mein Freund zu sein, weiß ich nicht. Vielleicht ist es daran gelegen, daß er mich allein gekannt hat, von stillen Spielen im Hof her, vom Tausch von Filmstarbildern, ohne die mich verunsichernde und wieder von mir verunsicherte Umgebung. Auf alle Fälle habe ich den Ferlitsch Franzl, weil er sich mir gegenüber nicht so verhalten hat, wie die andern, geradezu verehrt.

Er war, obwohl gleichaltrig, zwei Köpfe größer, als ich; und habe ich an seiner Seite durch die Heumühlgasse gehen dürfen, so war ich mächtig stolz. Seht nur, das ist mein Freund, habe ich den vorbeigehenden Schulkameraden im Geiste zugerufen, der ist schon über eins sechzig groß! Und der kann boxen und messerwerfen und mit der Rechten stemmt er einen Pflasterstein! Und wenn ihr weiter so blöd schaut oder gar irgendeines von den Spottliedern singt, die ihr auf mich gemacht habt, der verhaut euch!

Doch das war außerhalb der Schule – *in* der Schule war für mich die Hölle. Denn ähnlich problematisch, wie die Beziehung zu meinen Mitschülern, war die Beziehung zu meinen Lehrern. Ja bis zu einem gewissen Grad war ihre Einschätzung des Schülers Hemiš sogar durch die Einschätzung der Mitschüler beeinflußt. Oder war es doch eher umgekehrt – was ist zuerst gewesen, das Huhn oder das Ei, ich kann es nicht sagen.

Da war zum Beispiel das besonders schmerzliche Vorurteil, ich sei, schon infolge meiner geringen Körpergröße, ein sogenanntes Seicherl. Dieses Vorurteil hat der Turnlehrer, ein gewisser Herr Schmidt mit dt, nur zu bereitwillig perpetuiert. Du machst nicht mit beim Schlagballspielen, Hemiš, du bist zu schwächlich dazu! Du kannst ja den Ball nicht einmal richtig lenken, du störst die andern!

Daß mich diese andern dann wieder ein Seicherl genannt haben, *weil* ich nicht beim Schlagballspielen habe mitmachen dürfen, liegt auf der Hand. Ihre Urteile aber und besonders die Urteile der Lehrer haben auf mich zurück gewirkt. So habe ich plötzlich Angst vor dem Bockspringen oder dem Schwingen auf den Ringen bekommen, *weil* ich ein Seicherl war. Meine Eigenschaften haben sich in zunehmendem Maße dem Zerrbild angepaßt, das man sich von mir gemacht hat.

Nun aber, beim Deutschen Turnerbund, habe ich meine Angst vor dem Bock und den Ringen tapfer hinunter geschluckt. Nachdem mich der Herr Albert Prinz beim ersten

Mal in den Turnsaal Schleifmühlgasse gezwungen hat, mit eisernem Griff und markigen Belehrungen über deutsche Zucht, bin ich sogar recht gern in die wöchentlichen Turnstunden gegangen. Über dem Eingang zum Turnsaal waren die vier großen F des Wahlspruchs *frisch fromm fröhlich* und *frei* in Hakenkreuzform montiert. Eingeteilt waren die Turner in Riegen zu je acht Mann, und auf diese Bezeichnung habe ich mir was eingebildet.

Noch viel lieber als die wöchentlichen Turnstunden waren mir allerdings die sonntäglichen Turnerbundausflüge in den Wienerwald. Wir sind forsch durch die Gegend marschiert, haben nationale Lieder gesungen, Gedenkstätten des Turnvater Jahn besucht und Geländespiele gespielt. *Nehmt alle Kraft zusammen/wer hat denn dich du deutscher Wald/kein schönrer Tod als vor dem Feind* etc. Mit gegen die Vorschrift eng ums Kinn geschnalltem *Sturmriemen* bin ich mir vorgekommen, wie Hermann der Kerusker.

Der Kerusker nämlich war mein Lieblingsheld, für den Kerusker habe ich regelrecht geschwärmt. Über den Kerusker hat uns der Fachlehrer Kloß, die einzige Ausnahme unter den mir in der Regel sehr feindselig gesinnten Lehrern, ganze Stunden lang erzählt. Er selbst war klein und schmächtig und wahrscheinlich deshalb war zwischen uns eine gewisse Sympathie. So, wie der Fachlehrer Kloß, habe ich manchmal, wenn mich mein Stiefvater wieder besonders unerträglich drangsaliert hat, gedacht, sollte mein Vater sein.

Ihm zuliebe habe ich *das Grab im Busento* derart perfekt gelernt, daß ich es noch heute auswendig sprechen kann. Die Stimme meines Vaters auf dem Tonband zitiert die ersten vier Zeilen der Ballade. Ich habe mir das alles sehr bildhaft vorgestellt: die Goten mit ihren Flügelhelmen, die Nacht, den Fluß ... Und wie sie Alarichs Sarg ins schwarze Wasser senken und wie sie weinen.

Aber über *die Schlacht im Teutoburger Walde* habe ich dem Kloß zuliebe sogar Fleißaufgaben geschrieben. 9 nach Christus, das ist bis heute das einzige historische Datum, das ich mit Sicherheit weiß. So stark, so groß, so mutig wie die germanischen Helden wäre ich auch gern gewesen. Und hätte es irgendwelchen Unterdrückern – Römern, Lehrern, Mitschülern oder sonstwem gezeigt!

Daß es mir imponiert hat – sagt die Stimme meines Vaters über den Krieg in Frankreich – derart der Größere und Stärkere zu sein, und sei es auch bloß in der Formation, das kannst du mir vielleicht ein bißchen nachfühlen. Kilometerweise sind die anderen vor uns hergeflohen, kilometerweise hat man die Gefangenen in die Etappe zurückgezogen. Und Frankreich, das Land, von dem man sich einiges erwartet hat, Frankreich, der Erbfeind, ist so gut wie geschlagen vor uns gelegen. Auch von mir geschlagen, verstehst du, auch durch meinen kleinen Beitrag – das war schon ein Gefühl! Es folgt eine ziemlich detaillierte Beschreibung von Einsatz und Wirkung der die Franzosen demoralisierenden, die Moral der eigenen Truppe aber ungemein stärkenden Sturzkampfflieger. Man hat, sagt mein Vater, die amerikanische Taktik des safety first mit deutscher Gründlichkeit vorweg genommen und vor jedem Infanterie- oder Panzerangriff zuerst einmal das Angriffsziel in Grund und Boden bombardiert. So ist, sobald man zum Sturm angesetzt hat, aller menschlichen Voraussicht nach ohnehin kein Fetzen vom Feind mehr übrig gewesen. Und der Frankreichfeldzug war ein einziger Siegeslauf, ein einziger Rausch nach vorn!

Wie hätte sich Fachlehrer Kloß über uns gefreut! Wir sind in die Fußtapfen des Keruskers getreten. Und wie – mit was für besonders soliden Stiefeln! Am deutschen Wesen würde die Welt genesen . . . Anderseits war da natürlich, speziell in den Kampfpausen, eine recht unangenehme Ernüchterung. Die Erinnerungen an das vor kurzem Geschehene sind dann, wie ein teils im Zeitraffer-, teils im Zeitlupentempo aufgenommener Film durch mein Hirn gelaufen. Menschen verschmoren in einem Panzer, ein Bauernhaus fliegt in die Luft, eine Stadt wird zerbombt . . . Ein Kind, dem jemand einen viel zu großen Stahlhelm aufgesetzt hat, sitzt auf den Trümmern und spielt mit seiner Puppe . . . Und sie reden dir ein, du sollst *den inneren Schweinehund* überwinden, für Deutschland, für die Zukunft, für weiß der Kuckuck was. Und du hast das Gefühl, daß durch die Überwindung des inneren Schweinehundes nur *der äußere Schweinehund* hervorkommt. Dieses Gefühl zu unterdrücken hat es verschiedene Mittel gegeben. Für den die Begeisterung, für jenen den Alkohol, für mich die Fotografie.

Vom Deutschen Turnerbund, sagt die Stimme meines Vaters, bin ich dann gewissermaßen automatisch in die Hitlerjugend übergewechselt. Die meisten meiner Kameraden sind nach einiger Zeit dort hin, und natürlich habe ich den Wunsch gehabt, mit ihnen zu gehn. Das wird nicht klappen, hat mein Stiefvater eingewandt, und einen Augenblick lang hat mich sein Einwand stutzig gemacht. Aber in diesen frühen Jahren hat zur Erfüllung der Arierbedingungen noch eine eidesstattliche Erklärung genügt.

Ich bin in die Lehre gegangen – ein kurzes Gastspiel an der Realschule hat kläglich geendet. Das habe ich mir doch gleich gedacht, hat der Herr Albert Prinz gesagt und mich dazu verurteilt, Friseur zu lernen. Wie schon der Vater, so soll auch der Sohn frisieren.

Mit dem Kammpel durchs Haar fahren wird er doch können . . . Nun war aber eine ordentliche Friseurlehre zu finden in den Krisenjahren um 1930 gar nicht so einfach. Und erst recht nicht wenn man, wie ich, noch ausgesehen hat, wie ein kleiner Bub. An der Hand hat mich mein Stiefvater von Friseurgeschäft zu Friseurgeschäft geführt. Bis sich endlich ein Meister Bernegger in der Zollergasse bereit erklärt hat, es mit *dem Kleinen da* zu versuchen.

Begeistert war er sichtlich gar nicht von mir. *Der Kleine da* war dem Meister viel zu verträumt. Wenn ich den Walter anrede, hört er mich nicht. Oder er hört mich und läßt vor Schreck etwas fallen . . . Wahrscheinlich hat mich der alte Bernegger nur deswegen behalten, weil er, selbst ein seniler, hinter der Zeit – das hat man schon am Interieur seines *Salons* feststellen können – zurückgebliebener Opa, einfach keinen besseren Lehrling bekommen hat. Jedenfalls hat er mich meine ganze Lehrzeit lang nur mit saudummen Hilfsarbeiten beschäftigt. Ich habe den Kunden die Haare vom Kragen gebürstet und die Gesichter abgetrocknet. Ich habe untertags die Rasierbecken ausgewaschen und am Abend das Geschäft ausgekehrt.

Einem Kunden etwa selbständig die Haare zu schneiden, dazu bin ich bis zur Gesellenprüfung nicht gekommen. Nur zum Rasieren hat mich der Meister schließlich zugelassen, aber gerade vor dem Rasieren habe ich Angst gehabt. Schon das Rasiermesser anzugreifen, ein immerhin scharfes, lebensgefährliches Instrument, hat mich einige Überwindung gekostet. Und vor den Bärten, die mir der alte Bernegger zum

Rasieren vorgesetzt hat, hat mir richtig gegraust. Die feineren Bärte hat er mir erst gar nicht zugetraut. Die ordinäreren aber hat er getrost einer Be- oder Mißhandlung durch meine ungeschickten Hände ausgesetzt. An meinen einzigen Stammkunden erinnere ich mich noch jetzt mit besonderer Abneigung. Kratochwyl hat er geheißen und ist zumeist direkt aus dem Wirtshaus vis à vis gekommen . . .

Du kannst dir denken, daß ich nach so einem vielversprechenden Anfang keine Lust gehabt habe, den Rest meines Lebens als Friseur zu verbringen. Also habe ich mich, die Gesellenprüfung hinter mir, zuerst einmal zum Bundesheer und dann – einmal sagt mein Vater *wegen zu geringer Körpergröße*, ein anderes Mal *wegen Doppelmeldung* – nicht aufgenommen, zum Arbeitsdienst gemeldet. Ich habe allem bisherigen davonwollen, den Heimen, dem *Johanneum*, den Schulen, den Eltern, der Lehre - aber keine Ahnung gehabt, wohin. Also habe ich vorläufig einmal am Staudamm von Wallsee an der Donau gearbeitet und an der Regulierung des damals noch wildbachartigen Lech.

Der Arbeitsdienst war ja, genauso wie das Bundesheer, vor allem eine Zufluchtsstätte für Arbeitslose. In unseren Uniformen - grau bis an die Unterwäsche - haben wir ausgesehen, wie schäbige Gaskassiere. Aber sogar diese Uniform habe ich mit einer gewissen Freude und einem gewissen Stolz getragen. Um zu irgendeiner Gemeinschaft dazuzugehören, wäre ich damals wahrscheinlich auch in eine Uniform mit blauen Tupfen geschlüpft.

Ich denke an die Feldpostbriefe, in denen mein Vater von seiner *schönen, schwarzen Panzeruniform* schreibt. Und an die vielen Fotos, die ihn in Montur zeigen: war ich nicht ein fescher Bursch? Erst unlängst, sagt seine Stimme auf dem Tonband, habe ich ein Bundestreffen der *Roten Falken* fotografiert. Und du wirst lachen, als man mich da, wenn auch nur zum Scherz, in eine Altfalkenuniform gesteckt hat, das hat mir was gegeben.

In der Arbeitsdienstgemeinschaft war ich zwar immer nur ein einfacher *Arbeitsmann*. Darüber waren noch Arbeitsführer, Lagerführer, Oberführer, Feldmeister und weiß der Teufel, was. Doch mit den andern bin ich auf einer Stufe gestanden. Ich bin durch die Arbeit ihresgleichen geworden.

Nur einer von ihnen hat mich nicht akzeptieren wollen.

Schejbal hat er geheißen oder Schebésta. Wie ein Fleischhauer hat er ausgeschaut. Groß und rosig. Mit Händen, wie Suppenteller.

Bist' ein Jid? – hat er provokativ gefragt. Schrapp geschnekkelter! Frißt' nur koscheres Fleisch? Stinkst' nach Zwiebel? Schreibst' mit der linken Hand? Gehst' in' Tempel am Schabbes? Hast' keine Vorhaut?

Der Kerl hat mich entsetzlich in Wut gebracht. Am liebsten hätt ich mein Hosentürl geöffnet. Und ihm mein Glied gezeigt. Schau her du Trottel! Schau an mein Zumpferl! Ich bin ja gar nicht beschnitten!

Aber ich habe dir eigentlich von der Hitlerjugend erzählen wollen und davon, daß meine dortige Mitgliedschaft während der Arbeitsdienstzeit geruht hat. Und als ich vom Arbeitsdienst zurückgekommen bin, war der Herr Albert Prinz gestorben und kein Geld im Haus, da hab ich andere Sorgen gehabt. Später jedoch, als ich schon als Fotograf gearbeitet habe, hat man plötzlich darauf Wert gelegt, mich an meine Mitgliedschaft bei der HJ zu erinnern. Und in der Folge hat sich dann mein Kontakt zur Hitlerjugend intensiviert.

Eines Tages, ich stehe gerade im Laboratorium der Firma Ernst & Hielscher und arbeite Demonstrationsfotos aus, steigen ein paar Gesichter die Treppe herab, die kommen mir irgendwie bekannt vor, aber ich weiß nicht recht, woher. Und schon tritt eins von ihnen auf mich zu, fletscht freundlich die Zähne und klopft mir kumpelhaft auf die Schulter. *Der kleine Prinz*, sagt es, unablässig grinsend, der Nachfolger unseres unvergeßlichen Freundes und Mitstreiters, wacker wacker! Und da fällt mir das Begräbnis meines Herrn Stiefvaters ein, und ich erkenne die Gesichter wieder, auch ohne Trauerflor . . .

Das Begräbnis deines Herrn Stiefvaters . . . der Tod deines Herrn Stiefvaters . . . Wie war denn das, höre ich meine eigene Stimme vom Tonband, wann und woran ist denn der Herr Albert Prinz eigentlich gestorben? Ja *habe* ich dir denn das noch nicht erzählt, gibt sich die Stimme meines Vaters überdeutlich verwundert. Ich hätte schwören können, daß ich dir das schon erzählt habe.

Also hör zu, das war an dem Morgen, an dem ich vom

Arbeitsdienst nach Hause zurückgekhrt bin. Es hat, ich erinnere mich noch daran, als wäre es gestern gewesen, in dich-
ten, fast waagrecht im Wind fliegenden Flocken geschneit.
Und ich bin vom Naschmarkt um die Ecke gekommen und
vorbei an der Gaslaterne, die es noch, genau gegenüber von
unserem Haustor gegeben hat. Und ich habe - ja, dieses
Detail ist wichtig – also ich habe gepfiffen und gesungen.
Und ich trete ins Haustor, da beanstandet der Hausmeister
mein Pfeifen und Singen mit einer Anspielung auf ein vorerst
nicht genauer bezeichnetes, trauriges Ereignis. Aber was ist
denn geschehen, frage ich, und da berichtet er mir mit
stockender Stimme vom plötzlichen und angeblich tragischen Tod des Herrn Albert Prinz. Und als ich endlich den
Sinn seiner Worte begreife, lasse ich ihn stehen und nehme,
um möglichst schnell zu meiner Mutter zu kommen, beim
Hinauflaufen in den zweiten Stock immer zwei, drei Stufen
auf einmal. Meinen Stiefvater hat ausgerechnet zu Sylvester
und ausgerechnet in einer sogenannten delikaten Situation
der Schlag getroffen . . .
Nein, sagt die Stimme meines Vaters in plötzlich veränder-
tem Tonfall, was du da erzählt habe, kann nicht stimmen.
Als ich vom Arbeitsdienst zurückgekehrt bin, ist nicht Winter gewesen, sondern Herbst. Der Wind hat die welken
Blätter durch die Straßen getrieben und nicht den Schnee. Als
ich vom Arbeitsdienst zurückgekehrt bin, hat mein Stiefvater
noch gelebt.
Der Tag, an dem ich vom plötzlichen und angeblich tragischen Tod des Herrn Albert Prinz erfahren habe, war also
später. Aber daß ich am Morgen davon erfahren habe, und an
einem Neujahrsmorgen noch dazu, das weiß ich gewiß. Ich
habe damals nicht mehr bei meinen Eltern, sondern in einem,
allerdings nicht weit von ihrer Wohnung entfernten, Unter-
mietzimmer gewohnt. Und am Neujahrsmorgen bin ich, um
Prosit Neujahr zu wünschen, singend und pfeifend in den
Flur des Hauses Heumühlgasse 12.
Plötzlich aber geht die Tür zur Hausmeisterwohnung auf und
der Hausmeister sagt zu mir, diese Worte habe ich noch heute
im Ohr: He Walter, sagt er, tu nicht singen! Und *warum* soll
ich nicht singen, frage ich, und der Hausmeister sagt: dein
Vater, sagt er, ist heute gestorben. Und momentan war es
ganz leer und weiß in meinem Kopf, ich habe diese Worte

einfach nicht in meinen Kopf hinein gebracht. Aber dann bin ich die Stiegen hinaufgelaufen zu meiner Mutter und habe mit jedem Schritt zwei oder drei Stufen auf einmal genommen.

Am späteren Vormittag bin ich dann von der Polizei aufgefordert worden, ins Leichenschauhaus zu kommen. Da ist also dieser *Koloss*, vor dem ich mich meine ganze Kindheit und Jugend lang gefürchtet habe, gelegen. Gestorben ist er wie man mir erzählt hat in einem Hotel in der Josefstadt, und zwar einen geradezu impertinent schönen Tod. Die Kugel, die seit den Tagen von Verdun in seinem Körper gekreist ist, hat gerade im besten Augenblick sein Herz getroffen.

Zum Begräbnis oder genauer, zur Einäscherung, denn natürlich ist der Körper des Herrn Albert Prinz, wie es sich für einen ordentlichen deutschen Leichnam gehört, verbrannt worden, zur Einäscherung also sind eine Menge Parteifreunde des so unerwartet Verstorbenen gekommen. Diese Parteifreunde haben keine Ahnung von der Existenz einer Ehefrau, geschweige denn eines Sohnes ihres guten Kameraden gehabt. Was, du bist *der kleine Prinz*? haben sie mich, mit sichtlichem Erstaunen, gefragt, ja wie heißt du denn? – Ich rechne mir aus, daß mein Vater beim Ableben seines Stiefvaters schon über zwanzig Jahre alt gewesen sein muß.

Was willst du wissen, fragte meine Großmutter, wie groß mein seliger Mann war? Na wie groß wird er gewesen sein, ich schätze, er war so ungefähr in deiner Größe. Ja, eins zweiundsiebzig, wenn du eins zweiundsiebzig groß bist, dann war er es wahrscheinlich auch. Was sagst du, das ist gar nicht groß, na hör einmal, in unserer Familie war er beinahe ein Riese!

Aber jetzt hör auf, so ausgefallene Fragen zu stellen und laß uns über etwas Wichtiges reden, wenn du schon einmal da bist. Ich hab schon seit langem mit dir über gewisse Sachen reden wollen, aber du hast ja nie Zeit! Ich bin eine alte Frau und kann jeden Tag sterben, es ist gut, wenn ich meine Angelegenheiten rechtzeitig regle. Hier in der Lade sind meine sämtlichen Dokumente, dazu die Versicherungspolice und ein Sparbuch mit einem bißchen Geld fürs Begräbnis. Allmächtiger, wenn ich mich diesbezüglich auf euch verleiße, dann könnte ich wahrscheinlich zu Fuß hinaus auf den Zentralfriedhof gehn! Und meiner Seel, wenn es nach mir ginge, ich hätte gar nichts dagegen. Aber leider ist das bei uns Menschen nicht so vernünftig eingerichtet, wie bei den Elefanten. Also werdet ihr mich hinausführen lassen, dritter Klasse selbstverständlich, aber was sein muß, muß sein.

Jetzt jedoch das Wichtigste: hier, in diesem Couvert, hör zu, wenn ich mit dir rede, habe ich noch etwas ganz besonders für dich. Einen großen Ariernachweis, den haben wir dir damals, sofort nach deiner Geburt, beschafft. Was sagst du, du willst keinen Ariernachweis, halt den Mund, du kannst nicht wissen, ob du ihn nicht nocheinmal brauchst. Uns hat man damals auch nicht danach gefragt, ob wir einen Ariernachweis *wollen*, aber als wir ihn endlich gehabt haben, da haben wir Gott gedankt, das kannst du mir glauben!

Gerechter Gott, war das eine Aufregung, wie der Hitler, der sonst so viel Gutes gebracht hat, denn Ordnung, das muß man ihm lassen, hat er gemacht, und wer die Arbeit nicht gescheut hat, der hat Arbeit gekriegt, also wie der Hitler gekommen ist, und auf einmal haben wir alle diesen Wisch gebraucht! Gottseilobunddank hat meine Schwester in Hollabrunn, deine Großtante, viel Redegewandtheit und ein bißchen flüssiges Geld gehabt. Von Pontius zu Pilatus ist sie gelaufen, nach den entlegensten Pfarren ist sie gefahren, mit dem gesamten, noch erreichbaren Ausland hat sie korrespondiert. Frage nicht, was man ihr alles zugemutet hat, frage nicht, was sie alles hat ausstehen müssen, aber wenn sie nicht gewesen wäre, na wünsch gute Nacht, was meinst du . . .

Wo war ich denn stehengeblieben, fragt die Stimme meines Vaters auf dem Tonband, ach ja, bei den Begräbnisgästen im Fotolabor der Firma Ernst & Hielscher: – Zähnefletschen und Schulterklopfen und beschwören des unvergeßlichen Volksgenossen Albert Prinz in Walhall. Bist doch jetzt ein aufgehender Stern am Fotohimmel nichtwahr, stehst aber noch immer in den alten Listen der Hitlerjugend, nichtwahr, könntest doch arbeiten für die gemeinsame Sache, nichtwahr, *ein Volk ein Reich ein Führer.* Wirst dich doch nicht ausnutzen lassen von den miesen Juden hier, gelja, wirst dir doch hoffentlich beizeiten überlegen, wo du hingehörst, gelja, dein armer Vater dreht sich noch im Grab um!

Stellen dir jede Menge Fotomaterial zur Verfügung, nichtwahr, ganz zu schweigen von neuen Fotokisten, nichtwahr, und eine gute Startposition für eine bessere Zukunft. Denn morgen, weißt du, da geht das alles hier hopps über Bord, denn morgen, weißt du, da werden deine feinen Herrn Brötchengeber abserviert, aber heute hast du noch die Wahl.

Dieses Angebot, sagt mein Vater, war zu verlockend, dieses Angebot habe ich unmöglich ausschlagen können. Die Nazis, sagt seine Stimme nicht ohne Stolz, haben, wie man sieht, einen Riecher für junge Talente gehabt, und gute Propagandisten haben sie gesucht, wie die berühmten Stecknadeln im Heuhaufen. Darüber hinaus aber ist mir die Annahme dieses Angebots wie die späte Erfüllung eines Vermächtnisses des Herrn Albert Prinz erschienen. Ich habe meinen Stiefvater zu Lebzeiten so sehr gehaßt, daß ich ihn hätte umbringen können, nun aber, da er tot war, habe ich eine von Tag zu Tag wachsende Pietät für ihn empfunden.

Von da an habe ich für die Hitlerjugend fotografiert. Und es gab einzigartige Fotos zu machen. Marschierende Burschen und Mädchen, flatternde Fahnen . . . Gläubige Augen, singende Münder, erhobene Arme . . . Das waren ganz einfach *Bilder* für mich, verstehst du. Und die Bewegung hat mich mitgerissen. *Es zittern die morschen Knochen* zu singen, war schön. *Einer für alle alle für einen Kraft durch Freude.*

Nicht nur richtig *dazugehört* habe ich jetzt. Ich war unter lauter gleichen ein Exponierter. Sozusagen ein Lieblingssohn der Partei. *Der Fotograf aus der Bannführung* nicht mehr der Schrapp.

Ob ich, als ich, anläßlich der Nachweisgeschichten, die volle Wahrheit über meine Abstammung erfahren habe, keine Gewissenkonflikte gehabt habe, aber ja, natürlich. Aber sag mir: Was hätte ich machen sollen? Hätte ich hingehen sollen und mich stellen? Ich knipse Fotos für euch, doch das *darf* ich nicht? – Da war ich schon viel zu tief im Schlamassel drin. Da hab ich mich nicht mehr ganz einfach zurückziehen können. Und hätte ich das versucht, was wäre passiert? Du liebe Güte, mein Sohn, du redest dich leicht . . .

Außerdem war ich naiv, verstehst du, und die Geschichte mit dem Putschversuch zum Beispiel habe ich wirklich bis zum letzten Moment nicht kapiert. Nach dem Putschversuch waren wir vorübergehend illegal, also habe ich aus der Illegalität heraus fotografiert. Ich habe halt fotografiert, was man mir angeschafft hat, für mich war das Fotografieren immer die Hauptsache und alles andere war sekundär. Und vielleicht war das Fotografieren auch eine Möglichkeit, *durch die Kamera von den Ereignissen abzusehn*, was weiß denn ich.

Und dann habe ich eines Tages Josef Goebbels in den Sofiensälen fotografiert. Und als er mir bei einer auf seinen Vortrag folgenden Pressekonferenz die Hand geschüttelt hat, ist mir aufgefallen, daß er kaum größer war, als ich. Jaja wir Kleinen, hat er, als hätte er meinen Gedanken erraten, gesagt, wir können auch groß sein, wenn man uns auf den richtigen Platz stellt. Seither habe ich mich auf dem richtigen Platz gefühlt.

Im übrigen ist mein Vater in dieser Zeit mit dem Faltboot Sonny von Melk, Krems oder Klosterneuburg donauabwärts gefahren, hat mit dem Mädchen Trude auf einsamen Donauinseln campiert und an seinem Zelt hat ein Wimpel geweht, dessen Emblem – ein weißer Blitz auf schwarzem Feld – nicht das geringste mit den Runen der SS zu tun gehabt hat. Die Trude, sagt er, war eine gute Kameradin, eine ausgezeichnete Schwimmerin und eine leidenschaftliche Frau. Daß sie sehr klein war, habe ich, wie du dir denken kannst, nicht als Handicap, sondern als Vorteil empfunden. Über zwei Jahre sind wir miteinander gegangen und hätte ich nicht deine Mutter kennengelernt, so hätten wir wahrscheinlich geheiratet.

Meine Mutter hat mein Vater in der Drogerie Opitz auf der Gudrunstraße getroffen, wo er für kurze Zeit als Fotolaborant praktiziert hat. Sie hat ihn für einen Verkäufer gehalten und eine Sämischlederbürste von ihm verlangt, und bis heute ist meinem Vater eine Sämischlederbürste das Symbol ihrer Liebe. Ich bin *Fotograf*, hat mein Vater gesagt, ich mache die schönsten Bilder von Ihnen. Sie haben hübsche Augen, hat mein Vater gesagt, ich sehe mich darin wie im Spiegel.

Und dann, sagt mein Vater, sind schon die Deutschen in Österreich einmarschiert. Und als *Aktion*, als *Show* betrachtet, war ja der Einmarsch eine überaus imposante Sache. Auf diesem Sektor waren die Nazis den Sozis und erst recht den Schwarzen haushoch überlegen. Sie haben etwas für die

Sinne, ganz besonders fürs Auge und entsprechend für die Kamera getan.

Nimm nur die bekannte Heim ins Reich Kundgebung auf dem Heldenplatz. Ich war genau am äußeren Burgtor postiert. Jeder von uns hat genaue Order gehabt. *Die Bilder waren viel wichtiger als die Realität.*

Bringen Sie Bilder von lachenden, jubelnden Menschen. Und wenn Sie welche zum Lachen und Jubeln zwingen! – Aber das haben wir gar nicht nötig gehabt. Die Realität hat den Bildern mehr als genügt.

Denn nie zuvor haben *Statisten* so freiwillig agiert. Sogar auf den Pferden des *Prinzen Eugen* und des *Erzherzog Karl* sitzend haben sie sich heiser gebrüllt. Wir wollen unseren Führer sehn! – und der Führer hat sie erst bis zu einem gewissen Höhepunkt brüllen lassen. Und dann ist er herausgetreten auf den berühmten Balkon und hat diesen Höhepunkt durch sein Erscheinen noch überhöht. Und dann haben sich tausende Arme erhoben und tausende Hakenkreuzfahnen. Und die Ekstase war weitaus ekstatischer als bei jedem Popkonzert. Den Leuten sind förmlich die Tränen den Buckel hinunter geronnen . . . Ich habe nie mehr so ideale Modelle gehabt.

I

Das Bett in dem Zimmer, in dem ich meinen Vater nach dem letzten Besuch verlassen hatte, war leer, ich schluckte meinen Schreck hinunter und fragte eine Schwester, die soeben ein frisches Leintuch spannte, nach dem Patienten Henisch. Gehen Sie, sagte sie, auf Zimmer 15 A, aber strengen Sie ihn nicht an, er hängt gerade an der Blutkonserve. Sehr klein lag mein Vater im hintersten Winkel des etwa zwanzig Betten umfassenden Saals. Seine schwachen Venen waren wieder nicht *brav* gewesen, das Bett sah aus, wie eine Schlachtbank.

Es geht sehr langsam, sagte er und starrte auf das tropfende Blut. Er zählte: in acht Sekunden ein einziger Tropfen. Manchmal habe ich Angst, es hört überhaupt auf. Ich weiß nicht, wie lang ich das aushalte, wirklich nicht.

Dann war ein langes Schweigen zwischen uns, ich hatte keine Ahnung, was ich hätte sagen können. Vielleicht hätte ich versuchen sollen, meinen Vater von der Blutkonserve abzulenken, doch mir fiel nichts dazu Geeignetes ein. Schließlich klingelte er nach der Schwester und bekam die Urinflasche. Als er fertig war, bat er mich, die Urinflasche unters Bett zu stellen.

Im Gitterbett vis à vis lag, ebenfalls an der Blutkonserve, ein etwa achtzigjähriger Greis, nur mehr Haut und Knochen. Sein Sohn oder Enkel stand über ihn gebeugt und rasierte ihn mit einem Elektrorasierer. Der jüngere Mann redete freundlich auf den Alten ein, aber so, wie man mit einem Kind oder mit einem Tier spricht. Im Gesicht des Alten zeigte sich keinerlei Reaktion, vermutlich wurde auch überhaupt keine Reaktion von ihm erwartet.

Dann brauchte der Alte die Leibschüssel und die Besucher, die an den Betten der anderen Patienten standen, sahen angestrengt weg. Eine Dame mit Persianerkragen stapfte demonstrativ zum nächsten Fenster und riß es auf. Der Krankenhelfer nahm die Leibschüssel fort, drehte den Alten um und reinigte ihm den Hintern. Es war ein sehr dürrer

Hintern und die Dame mit dem Persianerkragen machte ein echauffiertes Gesicht.

Heute, sagte mein Vater und griff sich mit der freien Hand die Mineralwasserflasche vom Nachtkästchen, hat mir deine Mutter den blauen Brief gebracht. Jetzt muß ich endgültig in Pension gehen, kannst du dir das vorstellen? Ich möchte ja weiterarbeiten, aber es haut mich um. Ich weiß noch nicht, wie ich das je verkraften soll.

Ich bin wie ein Mensch, der lange gelaufen ist. Wenn er stehnbleibt, läuft alles weiter in ihm. Das Blut, der Atem, das Herz und vor allem die Seele. Stillsitzen, stilliegen – nein, das ist nichts für mich . . . Mit sichtlicher Anstrengung führte er die Mineralwasserflasche an die Lippen. Etwas Flüssigkeit rann von seinem Mundwinkel die nunmehr überdeutlich sichtbaren Halssehnen hinunter und versickerte im Bettzeug. Und dann war wieder dieses lange, laute Schweigen zwischen uns. Und das Gemurmel der anderen Besucher und Patienten klang weit weg.

Plötzlich stand der Serbe oder Türke, der mir wegen der Pudelhaube, die er auf dem Kopf trug, gleich beim Hereinkommen aufgefallen war, aus seinem Bett auf und ging, wie ein Traumwandler, zur Tür. Seine zwei Bettnachbarn riefen ihm etwas nach, aber er ging einfach weiter und schloß die Tür hinter sich. Es hat keinen Zweck, sagte ein dritter, erstens versteht er uns nicht und zweitens ist er taub. Draußen auf dem Gang oder spätestens draußen im Garten erwischt ihn ohnehin die Schwester und verpaßt ihm eine Spritze.

Wirklich kam kurze Zeit später eine ältliche Schwester mit dem Serben oder Türken, den sie wie einen Betrunkenen stützte, zurück. Er ist ein hoffnungsloser Fall, sagte sie, er will und will nicht begreifen, daß er hier bleiben muß. Wenn der Opa gestorben ist, deutete sie mit dem Kinn auf den Alten im Gitterbett, legen wir den Tschuschen dort hinein. Ich hab keine Lust mehr, täglich Fangen zu spielen. - Endlich kam ein Arzt vorbei und stellte fest, daß mein Vater den rechten Arm, der an die Blutkonserve angeschlossen war, nicht ordentlich durchstreckte. Wissen Sie, was das Unglück ist, sagte er, das Unglück ist, daß ich verpflichtet bin, Sie am Leben zu halten! Wenn Sie sich umbringen wollen, bleiben Sie zu Hause und hängen Sie sich auf. Drei Nadeln habe ich schon an Ihren verdammten Venen ruiniert, das hier ist die vierte.

Ich habe den Krieg, sagt die Stimme meines Vaters auf dem Tonband, von Anfang bis zum Ende als eine Folge von Bildern gesehn. Der ganze zweite Weltkrieg liegt heute als ein riesiger Stoß von Bildern vor mir. Wenn du wirklich ein Buch über mich schreiben willst, dann mußt du von diesen Bildern ausgehn. Wenn du beim Schreiben etwas damit anfangen kannst, so stelle ich dir diese Bilder zur Verfügung. – Hier Bilder aus *Polen* zum Beispiel: damals hat es noch keine Propagandakompanie gegeben, fotografiert habe ich auf dem Polenfeldzug vor allem bei der Artillerie. Das Überschreiten der Grenze, siehst du, das Überqueren von Flüssen, der Einmarsch in Dörfer und Städte. Kanoniere beim Laden, Kanoniere beim Feuern, Kanoniere beim Stellungswechsel ... Der Polenfeldzug hat, besonders für die Artillerie, tatsächlich etwas von einem Manöver gehabt.

Und auch für mich, der ich schon nach wenigen Tagen in die Wiener Roßauerkaserne zurückversetzt worden bin, war der Polenfeldzug nicht mehr als eine Generalprobe. Die Fotos, die ich im Polenfeldzug gemacht habe, hätte ich, mit wenigen Ausnahmen, auf jedem beliebigen Truppenübungsplatz machen können. Wenn die ganze Batterie geschossen hat, und es hat eine richtige Staffel von Rauchpilzen gegeben, na ja, das waren schon ganz hübsche Bilder. Aber vom unmittelbaren Kampfgeschehen, vom Kampf Mann gegen Mann, habe ich noch kaum etwas vors Objektiv gekriegt ...

Da ist der Feldzug gegen *Frankreich*, von dem ich dir ja bereits einiges erzählt habe, schon etwas von A bis Z anderes gewesen. Binnen zwei, drei Tagen war die angeblich unüberwindliche Maginotlinie überflogen, überrollt, überrannt und zerschossen. Hier zum Beispiel ein schöner Sturmangriff, das war noch kurz nach der belgischen Grenze. Und da der klassische Einsatz eines Flammenwerfers, das ist bei Epernay. Und Artillerieeinschläge, ganz anständig, nichtwahr, das war, glaube ich, in Compiegne. Und fliehende Zivilisten, die beiden da mit dem Kinderwagen, die sind aus Châlons sur Marne. Das ist typische Fliegerarbeit: ein ehemaliger Güterbahnhof in der Nähe von Paris. Und da der Hafen von Dieppes: der war schon, als wir hingekommen sind, nichts mehr als Trümmer und Rauch.

Hier hast du ein perfekt getroffenes, englisches Kampfflugzeug: schau nur, wie es trudelt. Und da ein Foto, das man nicht alle Tage bekommt: Panzer in der Apsis einer Kirche. Ja, den alten Mann da auf der Bank hat es erwischt, das stellt der Soldat, der sich zu ihm niederbeugt, gerade fest. Und das da ist eins der Plakate, die wir überall angebracht haben: *populations abandonnés, faites confiance au soldat allemand* . . . Aber natürlich hat es auch Verluste auf unserer Seite gegeben. Hier hast du ein Foto aus einem Verwundetenspital: Turnen von Amputierten zur Kräftigung der Muskeln fürs Tragen der Prothese. Und da Soldatengräber, ganze Fotoserien von deutschen Soldatengräbern! Oberleutnant Hans Walker, geb. 23. 11. 1916, gest. 11. 6. 1940; Unteroffizier Ernst Lawatsch, geb. 21. 12.1919, gest. 11. 8. 1940 – die habe ich alle gekannt.

Mein Vater erzählt noch einige Episoden, die auch *das menschliche Antlitz des Krieges* zeigen sollen. So ist ihm ein französischer Flieger, dessen Gefangenahme er soeben fotografiert gehabt hat, glatt um den Hals gefallen. Mon ami, hat der Flieger gerufen, pour moi la guerre est fini! Und hat meinen Vater mit ganz ungermanischer Zärtlichkeit auf die Stirn geküßt.

Andere Gefangene haben meinem Vater Fotos ihrer Angehörigen gezeigt. Voici ma femme, voilà mes enfants, voilà mes parents . . . Und auch mein Vater hat seine Brieftasche hervorgezogen und den Franzosen die Fotos seiner Lieben hingehalten. Das ist meine Mutter, hat er ihnen erklärt, und das meine Braut.

Unter den Papieren meines Vaters fand ich eine Sonderausgabe des *Völkischen Beobachters* vom Freitag dem 14. Juni 1940. *Paris gefallen*, las ich in riesigen Balkenlettern, *Einmarsch der siegreichen deutschen Truppen.* Es folgte die offizielle Bekanntmachung des Oberkommandos der Wehrmacht. Paris, ging daraus hervor, sei von nun an offene Stadt.

Heute hat Frankreich kapituliert, schrieb mein Vater in einem mit Montag dem 17. Juni datierten Feldpostbrief. Sende mit gleicher Post auch einen Brief an Mutter, in dem alles nähere, so weit ich es weiß, beschrieben ist. Eine tiefe, innere Freude erfüllt mich, daß ich gesund geblieben bin und diesen Feldzug mitgemacht habe. Alles, alles werde ich dir bald erzählen und in Bildern zeigen . . .

Aber die besten Kriegsbilder, sagt die Stimme meines Vaters, ja wahrscheinlich die besten Bilder meiner ganzen fotografischen Laufbahn, habe ich in *Rußland* gemacht. So viel wie in Rußland ist nie zuvor und wahrscheinlich auch nie mehr danach vor meiner Kamera passiert. *Menschlich gesehen* war das natürlich eine Tragödie, aber *vom fotografischen Standpunkt* . . . Ich hätte nichts daran ändern können und habe wenigstens versucht, für mich das Beste daraus zu machen.

Hier dieser Panzervorstoß in der Taiga zum Beispiel. Schau einmal nur den Himmel an – siehst du, wie die Wolken herauskommen? Das vermittelt einen unvergeßlichen Eindruck von der Weite der russischen Landschaft. Ich habe einen Gelbfilter verwendet – jaja, gewußt wie . . . Oder da, diese in Brand geschossenen Panjehütten. Einmal ganz abgesehen von allem anderen – ist das nicht ein herrliches Motiv? Die Silhouette des deutschen Soldaten vor dem glosenden Dachstuhl! Gegenlicht war schon immer meine Spezialität . . .

Ich hatte die Kriegsbilder meines Vaters schon als Kind zahllose Male betrachtet. Zwar war ich überhaupt umgeben von Bildern aufgewachsen, aber unter all diesen Bildern spielten die Kriegsbilder eine besondere Rolle. Betrachtete ich als Kind die Kriegsbilder meines Vaters, so mußte ich aufpassen, daß ich nicht in sie hinein geriet. War ich einmal in den Kriegsbildern meines Vaters drin, so kam ich nur schwer wieder aus ihnen heraus.

Zwar waren sie, wie meine Mutter immer wieder, wenn sie mich über ihnen ertappte, betonte, nichts für Kinder, aber meine Neugier, gekoppelt mit Papas Fotografenstolz, entkräftete diesen Einwand. Besonders in den großen, schweren, mit *Krieg Rußland* beschrifteten Alben blätterte ich noch lieber, als im *Wilhelm Busch*. Bist du da wirklich dabei gewesen, fragte ich dann oft, auf dieses oder jenes Bild zeigend, meinen Vater. Und er nickte und antwortete: Ja, das alles hat dein Papa mit eigenen Augen gesehn.

Ähnlich wie mit den Kriegsbildern meines Vaters verhielt es sich mit den dazugehörigen Geschichten. Denn auch diese Geschichten hatte ich als Kind schon zahllose Male gehört. Zu seinem Geburtstag, zu Weihnachten, zu Sylvester und zu ähnlichen Anlässen, wenn Besuch da war, kramte mein Vater diese Geschichten wieder und wieder aus. Und vor allem um dieser Geschichten willen hatte ich mich auf seinen Geburtstag, auf Weihnachten, auf Sylvester etc. gefreut. – Peter, du solltest jetzt eigentlich schlafen gehn. Diese Geschichten sind überhaupt nichts für Kinder! –

– Aber es sind doch wahre Geschichten, oder? Geschichten, die der Papa selber erlebt hat ... Der Papa erlebt was und macht Geschichten daraus. Wenn ich groß bin, will ich so sein wie er ...

Bald hatte ich seine Geschichten wortwörtlich im Kopf. Sie wirkten vermutlich profunder als je ein Märchen.

Mit dem Einmarsch in Rußland verhielt sich das so. Es war die längste Nacht des gesamten Krieges. Erst im letzten Moment kam der Angriffsbefehl. Wir lagen eingegraben knapp vor der Grenze. Mir huschten die Bilder der letzten Tage durchs Hirn. Etwa Patrouillengänge am Stacheldraht. Drüben lachende Russen, hüben wir. Sie werfen Wodka herüber, wir Bier zurück ... Es wurde allmählich hell. Ich schaute durchs Fernglas. Drüben die offenbar ahnungslose Patrouille. Frühe Bauern kamen aufs Feld. Ein Schornstein rauchte. Weiter hinten einige kleine Dörfer.

Und dann, mit der Sonne, bricht plötzlich die Hölle los. Die ganze Front entlang schießt die Artillerie. Und gleichzeitig heulen Schwärme von Stukas heran. Und über uns weg. Es ist der Weltuntergang.

Nach fünfzehn Minuten wurde das Feuer verlegt. Das heißt, man zielte jetzt weiter ins Hinterland. Inzwischen stießen die Panzerkeile vor. Und hinten nach mit Hallo kam die Infanterie.

Wir trafen zuerst auf nichts als blankes Entsetzen. Männer, Frauen und Kinder liefen wie irr herum. Verängstigte Tiere brachen aus Ställen aus. Soldaten flohen in Panik. Verwundete schrien. Häuser brannten. Balken stürzten herab. Die Äcker waren von Bombentreffern zerwühlt. Manchmal lagen zerfetzte Leiber im Weg. Man durfte nicht halten und schauen. Man mußte weiter.

Und trotzdem: da ist die Erinnerung an eine alte Frau. Die hält den Stiefel eines Soldaten umfaßt. Und ihr Gesicht fragt stumm und entsetzt *warum*. Der Soldat aber tritt sie einfach beiseite.

Oder das Bild eines angeschossenen Hundes. Sein Hinterleib ist zerfetzt, er schleift ihn nach. Und dann bleibt er liegen und schaut nur, liegt nur und schaut. Seine Augen werde ich nie vergessen . . .

Ich wollte nicht wieder in die Geschichten meines Vaters geraten und drehte das Tonband ab.
Ich wollte nicht wieder in die Bilder meines Vaters fallen und legte sie beiseite.
Ich wollte meinem Vater, der im Spital an diversen Schläuchen und Sonden hing, davon.
Aber weg von den Bändern und Bildern verlor ich mich in meiner Kindheit.
Er ist der ganze Papa, sagte die dicke, russische Redakteurin in der *Weltillustrierten* und hob mich an ihren wogenden Busen. Ich hatte drei Löcher in eine leere Fotoschachtel geschnitten, durch die seitlichen, kleineren, einen Papierspagat gezogen und das mittlere, größere, frei gelassen. Nicht bewegen! - wehrte ich die voluminös überwölbende Dame, die mir allzu intensiv nach dem damals in *Usia*-Läden erhältlichen 4711 roch, ab, ich mache ein Foto von ihnen! Und hielt, ein perfektes Abbild meines Vaters, eine Kamera zwischen mich und die Welt.
Dann begann ich, Fotopapiere, auf die ich zuerst meine Hand, später Indianerfiguren legte, in der zum Fenster herein scheinenden Sonne zu belichten. Einen versehentlich geöffneten, unexponierten Film, den mir mein Vater schenkte, bekritzelte ich mit Tintenblei. Durfte ich in der Dunkelkammer beim Fixieren und Trocknen der Bilder helfen, so war ich sehr stolz. Unter dem Vorwand, *Aktbilder* zu machen, spielte ich mit Friedi, dem Hausmeistermädchen, *Vater und Mutter*.
Manchmal durfte ich meinen Vater sogar begleiten, wenn er *auf Reportage* ging. In einer Spielzeugfabrik bekam ich bei einer solchen Gelegenheit einen schönen Teddy. Auch zum Bilderausbieten wurde ich häufig mitgenommen. In mancher Redaktion erwartete mich regelmäßig eine Tafel Schokolade.
Als ich in die Schule kam, war ich *der Sohn des Fotografen*, ein besonderes Kind. Ich grinste von Titelblättern und selbst mein Heulen am ersten Schultag wurde per Foto *gebannt*. Sieht man sich in der *Wiener Bilderwoche* heulen, so ist das Heulen keine Schande, sondern ein Verdienst. Die Fotografie

war ein Zauber, jedes Negativ wurde letzten Endes zum Positiv.

Einmal, auf dem Land, wir waren, glaubte ich mich zu erinnern, auf Besuch bei einer Tante, war ich in einen Bach gefallen und beinahe ertrunken. Ich war, schien mir, meinen Eltern aus Freude, endlich im Freien zu sein, davongelaufen, und an einer Wegbiegung die Böschung hinuntergestürzt. Dann hörte ich nur mehr eine seltsam anschwellende, halb beängstigende, halb erregende Musik. Als ich erwachte, war mein Vater über mir und zog mich aus dem Wasser.

Meine Mutter machte ein Riesentheater, weil ich meinen Sonntagsanzug und den dazugehörigen Steirerhut beschmutzt hatte. Sie wollte mich schlagen, aber ich krümmte mich, an den Händen oder am Kragen festgehalten, derart weg, daß sie mich kaum traf. Mein Vater nahm mich in Schutz und fing schließlich meinetwegen mit meiner Mutter zu streiten an. Als mich später die Tante fragte, ob ich den Papa oder die Mama lieber hätte, dachte ich: den Papa.

Auf diese Szene folgte in meiner Erinnerung eine andere, in der ich auf einem sehr weißen Operationstisch lag, und Äther einatmete. Allerdings konnte die Szene mit meiner *Bruchoperation* der Szene, in der ich beinahe ertrank, auch vorangegangen sein. Die seltsam anschwellende, halb erregende, halb beängstigende Musik jedenfalls hörte ich, rückwärts in einen tiefen Brunnen fallend, auch in ihr. Und später (mir kam vor, als wäre das unmittelbar nach meinem Erwachen gewesen) trug mich mein Vater die Stufen des *Herz Jesu Spitals* hinunter zum Taxi.

Es ist dann, sagt die Stimme meines Vaters, eine sogenannte Aufklärung an die deutschen Soldaten ergangen, in der man einen verräterischen und perfiden Überfallsplan Stalins auf Deutschland als erwiesen hingestellt hat. Nur der Intuition und dem Feldherrngenie des Führers sei es zu danken, daß man diesem Überfall zuvorgekommen sei. Nun aber gelte es, der jüdischbolschewistischen Weltverschwörung endlich die Stirn zu bieten. In unseren Händen liege es, die Welt von diesem gefährlichen Bazillus zu befreien.

Was aber den Goten, den Warägern und allen anderen Wanderern aus germanischem Blut nicht gelang, das schaffen jetzt wir, ein neuer Germanenzug, das schafft unser Führer, der Führer aller Germanen. Jetzt wird der Ansturm der Steppe zurückgeschlagen, jetzt wird die Ostgrenze Europas endgültig gesichert, jetzt wird erfüllt, wovon germanische Kämpfer in den Wäldern und Weiten des Ostens einst träumten. Ein dreitausendjähriges Geschichtskapitel bekommt heute seinen glorreichen Abschluß (hat es in einer für uns Propagandisten beigelegten Denkschrift des SS-Hauptamtes geheißen). Wieder reiten die Goten! Jeder von uns ein germanischer Kämpfer!

Diesen Blödsinn habe damals nicht einmal mehr ich, trotz meiner lang zurückreichenden Begeisterung für die feschen Germanen geglaubt. Ideales Geschwafel und reales Geschehen sind schon in allzu krasser Weise auseinander geklafft. Aber auf mich ist es leider nicht angekommen. Was man geglaubt hat, das hat kein Schwein mehr gefragt.

Unsere Aufgabe war, das Land zu überrennen und zu überwalzen, und das haben wir befehlgemäß getan. Ich war bei der in Frankreich so erfolgreichen Panzergruppe Guderian, die nun im Mittelabschnitt Richtung Minsk vorgestoßen ist. Die Taktik war immer dieselbe, wir haben die russischen Verbände mit Hilfe technisch überlegener, schneller Einheiten umzingelt. In den auf diese Umzingelung folgenden Kesselschlachten haben wir Tausende und Abertausende Gefangene gemacht.

Mit dem Transport dieser zahllosen Muschiks in die Etappe aber haben sich die ersten Komplikationen ergeben. Die Betreuung und Ernährung der Leute hat infolge der langen Nachschubwege nicht entsprechend geklappt. Beim Anblick dieser endlosen Gefangenenzüge ist mir das Elend des Krieges erst so richtig bewußt geworden. Man hat sie getrieben wie eine Herde, und auch sonst hat man die Gefangenen zu halben Tieren degradiert.

Den Einheitsfraß zum Beispiel hat man ihnen, aus Mangel an Menagegeschirren, in die bloßen Hände geschüttet. Das hat sie verbrannt, aber sie haben es aushalten und ihr Futter schlürfen oder verhungern müssen. Beim Rückmarsch über die Rollbahn sollen sie ohnehin gestorben sein wie die Fliegen. Aber das ist schon den Gefangenen der napoleonischen Armee passiert, und zumindest in dieser Hinsicht war Hitler ein neuer Napoleon.

Im übrigen hat sich auch die Abenteuerlust all der Soldaten

spielenden Zivilisten nun, nach zwei Jahren Krieg, schon etwas verbraucht gehabt. In der Fabrik, im Büro, im Geschäft mag es langweilig gewesen sein, tagtäglich dasselbe, das einen im Grund genommen nichts angeht, kein Leben, aber immerhin ein Leben. Im Feld jedoch, wie es so schön poetisch geheißen hat, hat man, das ist einem jetzt immer deutlicher zu Bewußtsein gekommen, nicht nur das Leben anderer, sondern auch das eigene Leben aufs Spiel gesetzt. Dieses Spiel war zwar vielleicht manchmal spannend, so wie es spannend sein muß, Autorennen zu fahren, aber die Überlebenschance war immer geringer.

Das haben sogar die zu Hause durch bürgerliche Moralvorschriften an der Befriedigung ihrer geheimen Leidenschaft gehinderten Bluthunde unter uns allmählich kapiert. Weißt du, das ist schon geil, hat mir ein dicklicher, rotgesichtiger Kamerad, im zivilen Leben Versicherungsangestellter, eines Nachts im Graben gestanden, wenn ich hier herüben abdrücke und drüben fällt einer um. Im Frankreichfeldzug sind immerhin ungefähr 30.000 (zuvor in Polen nur etwa 15.000) – alles geringe Verluste in der Sprache der Wehrmachtsberichte – auf unserer Seite umgefallen. Rußland war weitaus größer, es war militärisch viel stärker, die Wahrscheinlichkeit, daß man selbst umfallen würde, ist gewachsen.

All dessen ungeachtet ist Guderian vorgeprescht, wie er es von Frankreich her gewohnt war. Aber die Entfernungen waren größer, das Gelände war schwieriger und die Menschen waren anders. Zwar haben uns einige von ihnen mit Blumen oder Salz und Brot empfangen, und die Popen zum Beispiel haben offensichtlich auf die Wiedergewinnung ihrer alten Macht gehofft. Das Gros der Zivilbevölkerung aber hat uns, mit einer ungleich stärkeren Leidenschaft als die französische, gehaßt.

Kein Wunder, denn in den Stiefelspuren der deutschen Landser ist die SS gefolgt. Und die schöne Propaganda vom Selbstbestimmungsrecht der russischen Völker war nur mehr ein schlechter Witz. Mit preußischer Gründlichkeit haben diese Herrschaften die eroberten Ostgebiete zu *säubern* begonnen. Das war die in Frankreich noch nicht erkennbare Kehrseite der von mir ehemals so bewunderten Organisation.

Seliger Albert Prinz, habe ich jetzt manchmal gedacht, was

würdest du dazu sagen? Wärst du noch immer stolz auf uns, wäre das noch immer die Erfüllung deiner Wunschträume, was hier passiert? Manchmal war ich mir seiner Antwort nicht sicher, manchmal aber war ich völlig davon überzeugt, sie hätte ja gelautet. Verdammter Albert Prinz, habe ich dann räsoniert, wohin haben Leute wie du uns alle gebracht?

Vor allen Schrecken und Zweifeln jedoch habe ich mich jetzt mehr denn je hinter meiner Kamera verschanzt. Doch selbst hinter ihr war das Leben nun gefährlicher, und so habe ich allmählich auch diese Gefährlichkeit goutiert. Mit dem Tod leben ist intensiver leben, habe ich mir eingeredet, und vielleicht war da sogar etwas Wahres dran. Oft habe ich mehr als notwendig riskiert und der auf diese Weise gewonnene, grelle Reiz hat alles in mir abgestumpft, wie ein starker Schmerz.

Daß mir, außer einigen kleinen Verwundungen, nicht viel geschehen ist, ist ein reines Wunder. Beim Sturm auf Smolensk zum Beispiel war ein Bahndamm zu überwinden. Ein Bahndamm, der ungefähr in Hüfthöhe von den Russen beschossen wurde, ob nun gerade jemand drauf war oder nicht. Über diesen Bahndamm zu kommen, war wirklich russisches Roulette.

Zuerst liegt die Gruppe in Deckung: das ist ein *Bild*. Ein *Bild* die krampfhafte Spannung in den Gesichtern. Sprung auf vorwärts: ein *Bild*. Soldaten die laufen. *Bild*. Geduckte Soldaten. Wieder ein *Bild*. Zusammenbrechende, Schreiende: *Bild* um *Bild*. Verwundete, Tote: eine Folge von *Bildern*. Zwanzig bis dreißig *Bilder* auf meinem Film. Eine *Serie*. Eine *Bildreportage*... Dann aber kommt der zweite Teil der Geschichte. Etwas, das man auf meinen *Bildern* nicht sieht. Die Überwindung des Bahndamms ist *fotografiert*. Aber wie komme ich selber über den Bahndamm? Meine Befehle beziehen sich nur auf die *Bilder* Ansonsten bin ich an keinen Befehl gebunden. Das Sprung auf vorwärts muß ich mir selber befehlen. Sonst bleibe ich hinten. Und hinter mir ist kein Mensch. Wann aber ist der günstigste Augenblick? Jetzt? Oder jetzt? Ich habe zu viel *gesehn*. Nicht bloß auf dem Film sind die *Bilder* – nein, auch im Kopf. Ich kann nicht blindlings gehorchen und rennen, verstehst du?

Angst? - Natürlich habe ich Angst, und wie! Wer sagt, er hat keine Angst, ist dumm oder lügt. Sie schlägt sich auf Hirn, die

Angst, und auf die Gedärme. Wenn du dich anscheißt bei einem Angriff, keiner wird lachen . . .

War ich ehemals, als Kind, in die Bilder meines Vaters geraten, so war ich zum Beispiel einer der Russen gewesen, die mit erhobenen Armen und verkniffenem Blick aus dem Korn kamen. Oder, ihnen gegenüber, der siegreiche Deutsche, Maschinenpistole im Anschlag, Triumph um die Mundwinkel. Ich hatte die Gesichter unter der Lupe betrachtet und mich nicht sattsehen können an ihrem Ausdruck. In ihrem Ausdruck war etwas, das mich zugleich befremdete und faszinierte.

Und eines Tages, mit sechs, sieben Jahren, geriet ich dann in das Bild mit dem Schützenpanzer, aus dem ein bebrillter deutscher Soldat hervorlugte. Ich *war* der bebrillte, deutsche Soldat, sah die Szene, die das Bild darstellte, durch seine Brille. Neben mir ein Kamerad, vor mir ein von vorausgefahrenen Panzern planierter Weg. Und mitten auf diesem Weg ein Mann ohne Kopf.

Ich bemühte mich aber, den Mann ohne Kopf zu übersehn. Ich betrachtete die Blumen, ich glaube, es waren Himmelsschlüssel, am Wegrand, und den erbsigen Himmel über mir. Was hast du denn Peter, fragte mich meine Mutter, als ich, auch nachdem ich das Rußlandalbum längst weggelegt hatte, noch immer nicht aus dem Bild heraus kam. Ach laß ihn doch, Rosa, sagte mein Vater – er ist verträumt.

Erinnerte ich mich an diese Begebenheit, so erinnerte ich mich gleichzeitig an die faszinierend erschreckende Musik, die mir erst seit kurzem wieder bewußt war. Diese Musik hatte die Begebenheit begleitet, oder genauer, sie war in meinem Kopf gewesen, während ich vergeblich versucht hatte, aus dem Bild mit dem Schützenpanzer heraus zu gelangen. Zugleich hatte ich das Gefühl gehabt, jemand drücke mir mit größer und größer werdenden Daumen auf beide Augäpfel. Und an diesem Abend, trotz des aufgrund meiner sichtlichen Verstörtheit besonders zärtlichen Gutenachtkusses meiner Mutter, hatte ich mich vor dem Einschlafen geängstigt.

Weg von den Bildern erzählt mein Vater von einem russischen Gottesdienst sowie der Einrichtung eines öffentlichen

Hauses in Minsk oder Witebsk. Die dortige Kathedrale, von den Sowjets als Atheistenmuseum zweckentfremdet, ist ein nie zuvor gesehener Traum aus schwerem Gold gewesen. Der von den deutschen Propagandisten aus irgendeinem Versteck hervorgestöberte Patriarch ist ebenfalls völlig in Gold gewandet aufgetreten. Und die Gesichter der Gläubigen, die in die wieder ihrer Bestimmung übergebene Kirche geströmt sind, haben einen zu Tränen gerührt.

Und erst der Gesang – also beim Anhören dieses Gesanges hat man, selbst wenn man, wie ich, nach außen hin kein besonders religiöser Mensch war, einfach glauben müssen. Die tiefen, würdigen Stimmen und gleich darauf die ganz hohen, engelsgleichen, oft aus ein und denselben Kehlen. Und dazu der flackernde Widerschein der Kerzen und der würzige Duft des Räucherwerks! Da hat man tatsächlich den Eindruck gehabt, im Himmel zu sein.

Das öffentliche Haus, eine sehr irdische Institution dagegen, ist nicht weit vom Hauptsitz der Propagandakompanie eröffnet worden. Das Personalproblem hat man mit Hilfe russischer Hiwis - das heißt, falls du es nicht wissen solltest, *Hilfswilliger* – gelöst. Zum Besuch dieser Anstalt sind die Soldaten turnusweise berechtigt gewesen. An einem schwarzen Brett hat man die wöchentlichen Turnusse angeschlagen.

Hat einer hingehen wollen, so hat er sich beim *KVD* zum Besuch des öffentlichen Hauses abzumelden gehabt. Unmittelbar nach der *Aktion* ist einem dann vom Sanitäter eine Spritze verabreicht worden. Was mich betrifft, so bin ich eher als Neu-, denn als Begierde hingegangen. Ich war mein Lebtag ein strammer Bursch, aber in so einer Atmosphäre fällt einem alles herunter.

Wieder saß ich im Laboratorium meines Vaters und blätterte in den Feldpostbriefen aus Rußland. Meine Mutter hieß darin *Käferle* oder *Puzikam,* meine Großmutter *Mufflon* und wirklich sah sie auf Fotos aus dieser Zeit wie ein Mufflon aus. Sie war wieder Krankenschwester, und zwar auf der zweiten Geburtsklinik des Wiener Allgemeinen Krankenhauses. Angeblich geht der forcierte Wunsch meines Vaters nach Heirat und Kindersegen nicht zuletzt auf ihre Initiative zurück.

Du sollst dir – las ich in einer den Feldpostbriefen beigehefteten, den Soldaten an der Front sowie den Bräuten und Frauen in der Heimat gewidmeten Broschüre – möglichst viele Kinder wünschen. Erst durch Kinder ist und bleibt der Fortbestand eines Volkes gesichert. Kinder erhöhen den Wert eines Volkes und sind die sicherste Gewähr für sein Überleben. Du magst getrost vergehen, in deinen Nachkommen feierst du Auferstehung.

Nein, sagt die Stimme meines Vaters auf dem Tonband, das war nicht der einzige Grund für meinen Wunsch, deine Mutter zu meiner Frau zu machen. Ich habe sie für alle Fälle, auch für den schlimmsten, versorgt wissen wollen, das mußt du verstehn. Und natürlich habe ich sie auch an mich binden wollen, schließlich waren mehrere tausend Kilometer zwischen ihr und mir. Lang genug habe ich gebraucht, diese Frau zu finden, und folglich keine Lust gehabt, sie wieder zu verlieren.

Ich habe, schrieb mein Vater am 13. Juli 41, vor einigen Tagen um Heiratsbewilligung angesucht. Ich weiß zwar noch nicht, wie Du, Käferle, über meinen diesbezüglichen Vorschlag denkst, aber Deine Antwort ist ja bestimmt schon auf dem Weg. Wenn Du tatsächlich das Opfer auf Dich nehmen und als meine Frau auf meine Rückkehr warten willst, so soll mir diese Kriegsheirat ein Talisman sein. Verschaff Dir auf jeden Fall die Dokumente (Ariernachweis, Ehetauglichkeitszeugnis etc.) es ist möglich, daß Du Abschriften davon an meine Dienststelle und ans Reichspropagandaamt in Berlin senden mußt.

Wenn ich Dir wenig oder gar nichts von meinen kriegerischen Erlebnissen schreibe, so tue ich das, um Dir nicht unnötig den Kopf voll zu machen. Seien wir froh, daß bis jetzt alles in Ordnung geht, und ich heil und gesund geblieben bin. Versteh das bitte nicht falsch, daß meine Briefe jetzt meist keine reinen Liebesbriefe sind. Das Geschehen hier draußen verändert den Menschen, und solange wir im Kampf stehen, müssen wir wohl auch andere Menschen sein.

Beruflich bin ich nun sehr zufrieden, ich habe einige sehr gute Erfolge in der Presse gehabt und der Name Henisch wird in meiner Branche immer bekannter. Mein Name lautet jetzt endgültig *Henisch*, nicht mehr *Hemiš*, in der großdeutschen Wehrmacht, sagt man mir im Propagandaministerium, gibt es keine Tschechen. Ich glaube auch Du, Roseli, wirst, obwohl eine geborene Jirku, nichts gegen die *Eindeutschung* deines künftigen Namens haben. Um unsere Zukunft brauchst du Dich jedenfalls wirklich nicht mehr besonders zu sorgen. – Bekomme ich tatsächlich die Heiratsbewilligung, so wird der damit verbundene Urlaub kaum mehr als sieben, acht Tage dauern. Es sei denn, die Kampfhandlungen gegen Rußland sind bis dahin abgeschlossen, und wir fahren ohnehin nach Hause. Einen Großteil der Kämpfe haben wir ja bestimmt schon hinter uns, was nun folgt, kann, kommt mir vor, nicht mehr allzu arg sein. Ich rechne noch mit höchstens drei, vier Wochen, der Führer wird bestimmt alles daran setzen, daß wir nicht in den Winter kommen.

Ich hatte genug vom Lesen und stellte den Ordner mit den Feldpostbriefen ins Regal zurück. Dabei rutschte ein Foto heraus, segelte in einer Spirale zu Boden und blieb mit der Glanzseite nach oben liegen. Da stand meine Mutter im Schilf, lachte, und goß sich mit der Linken etwas Wasser in den mit der Rechten ein wenig abgespreizten Ausschnitt ihres Badeanzuges. Genau dieses Bild, ging mir jetzt auf, hatte ich eines Abends, als meine Eltern im Kino gewesen waren, in einer Lade gefunden.
Ich war ungefähr zwölf gewesen, meine Mutter sah auf dem Foto sehr jung aus, und nachdem ich es einmal gesehen hatte, hatte ich öfter von meiner Mutter geträumt. In Zusammenhang mit einem roten Ballon zum Beispiel, der, durch geheimnisvolle Kräfte aufgepumpt, größer und größer wurde. Meine Mutter und ich, wir hielten uns an diesem Ballon fest und wurden – auch in dieser Szene war die unlängst wiederentdeckte *Musik* – immer höher und höher in die Luft erhoben. Mein Vater aber, klein wie er war, blieb unten auf der Erde, rief uns etwas immer schlechter verständliches, über das wir lachen mußten, nach, und wurde mit zunehmender Entfernung kleiner und kleiner.

Dann saß ich wieder bei meiner Mutter in der Küche, aber in ununterbrochener Reihenfolge kamen mir, wie Dias aus einem auf Automatik geschalteten Projektor, Bilder aus lang vergessenen Träumen in den Sinn. Es waren lauter Bilder aus Träumen, in denen ich selbst als ungefähr zwölfjähriger Bub vorkam. Meine Mutter erzählte mir von einer Operation, die man an meinem Vater durchführen wollte, aber ich hörte nur mit halbem Ohr hin. Und plötzlich fiel mir die Operation ein, die man, als ich etwa dreizehn gewesen war, an mir durchgeführt hatte.

Was ist dir denn, fragt mich meine Mutter, die mein Zusammenzucken bemerkt hatte, und ich sagte ihr, daß mir diese Operation eingefallen sei. Jaja, sagte sie, das war deine zweite Bruchoperation - aber genaugenommen war das eigentlich nur eine Folgeoperation der ersten. Beim ersten Mal, mit fünf, haben sie dir nämlich versehentlich den linken Hodenstrang angenäht. Und später, als du dann so richtig im Wachsen warst, hat dir das Beschwerden gemacht.

Auf dem Heimweg erinnerte ich mich daran, daß man mir bei dieser zweiten Operation meine eben erst sprießenden Schamhaare, auf die ich sehr stolz gewesen war, abrasiert hatte. Während mir eine Krankenschwester, vor der ich mich ein wenig genierte, zulächelte, arbeitete ein Krankenpfleger mit der Klinge. Mit mir im Zimmer lag ein Bub meines Alters, den hatte man ungefähr zur gleichen Zeit wegen seiner Schielaugen operiert. Manchmal, bevor ich einschlief, empfand ich einen Druck auf die Augäpfel und hatte Angst, ich müsse wie er mit verbundenen Augen liegen.

Etwa zwanzig Kilometer vor Moskau ist dann der deutsche Angriff buchstäblich im Schnee steckengeblieben. Und den Winter haben die Russen weitaus besser ertragen als wir, zu bleiben wäre da reiner Selbstmord gewesen. So hat sich also der Rest der Division Guderian zurückgezogen. Aber der Rückzug war eine einzige Katastrophe.

Mein Vater hat diesen Rückzug in unbeschreiblichen Bildern – siehst du, sagte er, ich rede immer wieder von Bildern, in Erinnerung. Das ganze beschissene Reckentum ist von den Soldaten abgefallen, was geblieben ist, war die Kreatur, die nichts anderes mehr im Sinn gehabt hat, als zu überleben. Aber ich habe auch das fotografiert, obwohl mir bewußt war, daß man diese Fotos niemals in großdeutschen Zeitungen sehen würde. Hätte ich heute die Bilder, die damals in irgendwelchen Archiven verschwunden sind, sie sprächen für sich.

Landser auf Knien vor überfüllten Lastern. Zusammenbrechende, die man einfach zurückläßt. Raufereien um Brot mit tödlichem Ausgang. Steifgefrorene Leichen am Rand der Rollbahn.

Eine richtiggehende Dokumentationsmanie zwingt dich, auch solche alles andere als schönen Augenblicke festzuhalten. Es ist eine Art von *brutaler Neugier,* die angesichts des Leids, angesichts der Not, angesichts des Todes - ja, vor allem angesichts des Todes – von dir Besitz ergreift. Ein kalter Rausch legt sich auf deine Sinne, der alles verödet, was du sonst als Mitleid und Mitgefühl kennst. Obwohl du in all dem drinnen stehst, stehst du draußen.

Also wie soll ich dir das erklären: in solchen Augenblicken funktionierst du ganz einfach. Zum Beispiel der Einschlag einer Granate: du kriegst ein Gehör dafür, wann und wo so ein Luder einschlagen wird. Und du hörst, dich trifft es nicht, aber den da drüben, den mit dem Milchgesicht, den trifft es. Und du siehst, er hört es auch, und krallt sich ganz tief in die Erde oder hält völlig absurd die Arme über den Helm.

Du aber funktionierst ganz einfach, bist jetzt wirklich nichts mehr anderes, als die Verlängerung der Kamera, die du vor dich hinhältst. Und instinktiv suchst du den besten Vordergrund – ein Profil unterm Stahlhelm, ein zerbombtes Haus, einen brennenden Panzer - und wartest auf den besten Aufnahmemoment. Der kommt übrigens erst kurz nach dem Einschlag, wenn alles, was im Bereich der Explosionswirkung liegt, in tausend Fetzen fliegt. Und dann schwappt die Druckwelle, und du wirfst dich, kaum hast du dein verdammtes Foto exponiert, zur Seite.

Ist das nun ein Widerspruch, daß ein Mensch, der noch vor wenigen Stunden einen sentimentalen Brief nach Hause geschrieben hat, derart auf der Lauer liegt, und die Höhepunkte des Fürchterlichen, das da vor seinen Augen abläuft, mit einer seltsamen Art von Jagdlust erwartet? Ich weiß nur, daß ich bedaure, die Teleobjektive, mit denen wir heute arbeiten, nicht schon früher gehabt zu haben. Hätte ich zum Beispiel das Milchgesicht, von dem zuerst die Rede war, aus dreißig Metern Entfernung quasi porträtieren können! Was für Fotos hätte ich damals in Rußland gemacht!

Ich saß da, hörte der Stimme meines Vaters zu, nahm mir einen Schnaps aus der Hausbar und überlegte, ob in der Bestätigung, welche die Abbildung von Gefahr, Leid, Not und Tod im Grunde genommen bedeutete, nicht auch eine Verneinung lag. Man hielt fest, was verging, das flüchtige Bild auf der Netzhaut, den Eindruck im Hirn, fotografierte, schrieb. Ein Aufmucken gegen die Zeit, wie jede Kunst. Was sonst verloren ginge, das hebt man auf . . .

Anderseits mußte da eine Genugtuung sein. Nicht *Ich* bin es, den es trifft, *der andere* ist es. Registriert man den Tod des andern, so ist man am Leben . . . Aber vielleicht empfand ein Mörder ganz ähnlich.

Und dann fiel mir ein, wann ich die *brutale Neugier,* von der mein Vater sprach, zum ersten Mal an mir selbst beobachtet hatte. Das war nach Abschluß der Mittelschule gewesen, ich hatte, auf Drängen meines Vaters, als Lokalreportersanwär- ter, Redaktionsaspirant, bei der *Arbeiterzeitung* begonnen. Man schickte mich *bilderkeilen,* wie man das Auftreiben von Verunglückten- und Ermordetenfotos bei den Familien der sogenannten Opfer im Journalistenjargon nennt. Und ich hatte die Bilder dreier, bei einem Autounfall zu Krüppeln verstümmelten Menschen, zu *organisieren.*

Es handelte sich um ein junges Ehepaar samt Kleinkind, dessen neues Auto ein nachfolgender LKW durch einen Bahnschranken und vor einen heranbrausenden D-Zug ge- schoben hatte. Ich fuhr also zu den Eltern der infolge des Unfalls querschnittgelähmten und erblindeten Frau. Auf mein Klingeln öffnete ein Mann, fast ganz weißhaarig, aber sehr aufrecht, imponierend direkt in seinem Alter, unwill- kürlich straffte ich meine Schultern. Sie wünschen, fragte er, und ich sagte, ich käme von der Zeitung und wegen des Unfalls. Nun erwies sich die Annahme, die Polizei wäre, wie üblich, bereits vor mir eingetroffen und hätte die Angehöri- gen von dem Unglück verständigt, als falsch. Als ich von einem Unfall zu reden anfing, lief ein kaum merkliches Zittern durch den sich immer noch auffallend gerade halten- den, alten Mann. Er forderte mich auf, weiter zu kommen, der fast bittende Blick seiner vorerst überraschend jugendlich wirkenden Frau will mir nicht aus dem Kopf. Es gehe ihnen doch gut, den Kindern, es sei doch erst gestern eine Karte mit Urlaubsgrüßen gekommen, das alles wäre sicher ein Irrtum.

Jetzt war es an mir, den Leuten die Wahrheit möglichst schonend beizubringen und sie im selben Atemzug wegen der Fotos für die Titelseite zu belästigen. Im Wohnzimmer hingen sie, hinter Glas in vergoldeten Rahmen: die noch recht mädchenhafte, sommersprossige Frau, der junge Mann mit Brille, das Baby mit Schnuller. Gemessen an dem, was hätte passieren können, sagte ich, ist ihren Kindern nicht das Schlimmste passiert. Aber natürlich waren alle Versuche, mich um konkrete Angaben herumzudrücken, vergebens. Nicht die Peinlichkeit meiner schizophrenen Mission aber – auf der einen Seite die *menschliche* Pflicht, so gut es ging, zu trösten, auf der anderen der *journalistische* Auftrag, die Bilder zu beschaffen – verwirrte mich in der nächsten, mir unangenehm unvergeßlichen Viertelstunde. Was mich verwirrte und schließlich, unerfüllten Auftrags, zu einer Art von Flucht veranlaßte, war etwas ganz anderes. Ich entdeckte plötzlich ein geradezu technologisches Interesse in mir, bezogen auf die Reaktion des alten Ehepaars auf die Hiobsbotschaft. Wie der aufrechte Mann mit jedem meiner Worte mehr in sich zusammensank, wie die vorerst jugendlich wirkende Frau innerhalb weniger Minuten vergreiste, das beobachtete ich mit einer mir bis dahin unbekannten, unterkühlten Leidenschaft.

Lieber Papa, schrieb ich, ich frage mich, ob ich Deine Geschichte nicht dazu benutze, mich von mir selbst abzusetzen. Nicht total von mir selbst vielleicht, aber zweifellos von einem ganz gewichtigen Teil meines Charakters. Indem ich diesen Teil meines Charakters in Deinem Charakter wiederfinde, kann ich so tun, als hätte ich ihn verloren. Indem ich diesen Teil meines Charakters in Deinem Charakter dingfest mache, kann ich so tun, als wäre ich ihn los.
Was ich nämlich der *Figur meines Vaters* (und zweifellos bin ich drauf und dran, Dich, Papa, zur *Figur* zu stilisieren) *zuschreibe,* etwa, daß sie alles, was um sie herum existiert und geschieht, flugs zum *Motiv* macht, kann ich mir selbst nicht *abschreiben.* Mir selbst wird nicht nur alles, was um mich herum, sondern auch alles, was in mir existiert und geschieht, zum Motiv. Alles, was ist, denke ich, ist gut, insofern es *Material* ist. Was Dir zum Foto wird, Papa, wird mir zum Text. Deine jetzige Situation zum Beispiel: mir kommt vor, daß ich Dich manchmal mit der selben unterkühlten Leidenschaft beobachte, mit der selben *brutalen Neugier,* von der Du

mir erzählt hast. Ich sehe Dein Alter, ich sehe Deine Krankheit, ich sehe Deine Verzweiflung, und finde das interessant. Ich notiere alles, was du sagst und tust, in meiner Erinnerung, unterstütze mein Erinnerungsvermögen durch Tonband und Merkbuch. Aber je ähnlicher ich Dir werde, desto besser glaube ich Dich zu verstehn.

Schon als Kind habe ich häufig das Gefühl gehabt, mir selbst als ein gewissermaßen ständig über meinem Scheitel schwebendes Beobachterauge bei meinen Handlungen zuzusehn. Dieser Selbstenthobenheit entsprechend habe ich in solchen Augenblicken meine Handlungen nicht nur in der *dritten Person,* sondern auch im *Imperfekt* gedacht. Daß man auf diese Weise zur gleichen Zeit weinen und vollkommen ungerührt sein eigenes Weinen registrieren kann, ist ja einerseits praktisch. Andererseits aber verhält es sich mit meinem Lachen und dem gleichzeitigen Registrieren dieses Lachens ganz genauso. – Siehst Du, Papa, ich mache alles zum Material. Dich, der Du alles zum Material gemacht hast, mache ich erst recht zum Material. Und meine Kritik an Dir, der Du alles zum Material gemacht hast. Und meine Kritik an mir selbst, der ich sogar diese Kritik zum Material mache.

Oft habe ich Dich sagen gehört, daß Du durch Deinen im Laufe der Jahre zur *Existenzform* gewordenen Beruf Dein Leben doppelt lebst. Hier ist mein *Leben,* da ist mein *Bild* mein Bild ist mein zweites Leben. Oft habe ich Dich sagen gehört, daß Dich diese Verdoppelung als eine Erhöhung Deiner Lebensintensität glücklich macht. Daß diese Intensitätsverdoppelung auf der einen mit einer Intensitätshalbierung auf der anderen Seite zusammenhängt, hast Du mir nie erzählt.

Und was heißt *Halbierung,* ich sollte wohl eher sagen, *Zersplitterung,* das träfe den Sachverhalt genauer. Mein Hirn ist wie ein Raum mit tausend Spiegeln, Du kannst mir nicht aus, aber ich kann mir auch nicht aus. Wenn du mir jetzt sagst, ich bin ein Arschloch, lieferst Du mir einen Satz. Und wenn du dann auf der Stelle tot umfällst, lieferst Du mir eine Story.

Ja, sagt die Stimme meines Vaters, es kommt vor, daß dich ein Gefangener um Brot und Wasser anbettelt, Chleba, Panje, Woda, und statt es ihm zu verschaffen, machst du ein Foto von ihm. Dieses Gesicht, denkst du, kriege ich mein Lebtag nicht mehr mit diesem Ausdruck vors Objektiv. Oder du liegst in einer MG-Stellung und wartest mit den Schützen, die dir das begehrte Motiv verschaffen, bis die Todgeweihten nahe genug heran sind. Und wenn das MG losrattert, und die Überraschung ist noch in den Gesten der Sterbenden, hast auch du den Finger am Drücker. Oder du siehst, ein Mensch will wie eine lebende Fackel aus dem Turm eines Panzers. Seine Kameraden halten ihn zurück, die Gegner nehmen ihn aufs Korn, aber du paßt auf den Gipfelpunkt seines Schmerzes. Oder du fotografierst eine Hinrichtung, und bei allem Grauen gehst du geradezu zwangshaft nahe an den Delinquenten heran. Diese Augen, weißt du, kannst du nur jetzt auf den Film bannen, oder nie . . .

In besonderer Erinnerung ist mir die Erschießung der Partisanin Sonja Oreschkowa. Sie war, soviel ich mich erinnern kann, eine Medizinstudentin aus Moskau, ganze achtzehn Jahre jung. Man hat sie wegen widerrechtlichen Betretens eines Flugplatzes in der Nähe von Smolensk verhaftet. Und der dortige Kommandant, berüchtigt wegen seiner Schwäche für das weibliche Geschlecht, hat sie selbst verhört.
Am zweiten Abend hat sie dann der Kommandant ins Kasino eingeladen. Und sie hat sich, angeblich, um bessere Kleider für den Abend zu besorgen, einen Passierschein erbeten. Im Kasino hat sie nur mäßig getrunken, aber ihren diesbezüglich ohnehin nicht sehr standhaften Kavalier animiert. Und schließlich ist sie dem zu diesem Zeitpunkt schon völlig angetrunkenen Mann auf sein Zimmer gefolgt.
Dort spielt sie ihm dann eine Eifersuchtsszene vor und verweist im Wortgeplänkel auf den Ehering an seinem Finger. Sie verlangt, Fotos der Ehegattin aus seiner Brieftasche zu sehn, der Hauptmann, nach einigem Zögern, zeigt sie ihr schließlich. Danach gibt sie sich dem Offizier, entnimmt, sobald dieser schläft, ihrer Tasche ein betäubendes Pulver und streut es ihm auf Schläfe und Haar. Dann nimmt sie die Brieftasche, die Dokumente und die Pistole des Hauptmanns und passiert, unter Vorweis des mit seiner Unterschrift versehenen Passierscheins, die Wachen.
Auf den ersten Blick war diese Sonja Oreschkowa völlig unscheinbar und ohne jeglichen weiblichen Reiz. Rein körperlich wäre sie unter einem Dutzend gleichaltriger, russischer Mädchen kaum aufgefallen. Doch im Gespräch ist ihr

Gesicht lebhaft und ihr ganzer Körper lebendig geworden. Ihre Augen waren intelligent und ihre Gesten von einer seltenen Ausdruckskraft.

Ich habe sie in ihrer Zelle von vorne, von hinten, von rechts und von links zu fotografieren gehabt. Dann nackt, dann wieder angezogen, weiß der Teufel, warum. Als man sie abgeholt hat, hat ein SS-Mann gleich ihre Stiefel verlangt. Das waren weiße Juchtenstiefel und der Kerl hat ihr einfach gesagt: die brauchst du jetzt nicht mehr.

Sie ist hoch erhobenen Hauptes, ohne ein Wort des Jammers, ihren letzten Weg gegangen. Da war eine Grube ausgehoben und in der Grube ist schon ein Haufen Leichen gelegen. Vor dieser Grube hat sie sich niedergekniet. Und während des Betens ihren Genickschuß gekriegt.

In Fällen wie diesem, sagt die Stimme meines Vaters, ist mir die kalte Leidenschaft, die Dokumentationsmanie, von der ich dir erzählt habe, vergangen. Es war besser, mit möglichst geringer Gefühlsbeteiligung einzustellen, den Auslöser zu drücken, weiter zu drehen, und tunlichst zu vergessen. Ich hätte viel darum gegeben, in manchen Augenblicken wirklich nichts anderes, als *Kamera* zu sein. Aber leider ist die Erinnerung nicht so leicht aus dem Gehirn auszuspannen, wie der Film aus der Leica.

Nichts oder wenig von alldem las ich in den Feldpostbriefen. Wenig vom Sterben, nichts vom Gestorbenwerden, nichts von brutaler Neugier. Dagegen die wiederholte Aufforderung an meine Mutter, nach der Cassiopeia (W, wie Walter) zu schauen in sternklaren Nächten. Auch von einem kreuzförmigen Anhänger war die Rede, den Roseli tragen sollte, damit sie an Walter dachte.

Im übrigen wollte mein Vater nun endlich *Walter,* nicht mehr *Walterl* heißen. Auch die Anrede *mein kleiner Held* klang ihm, obwohl er mit einer gewissen Ironie darauf einging, offenbar kränkend. Er schrieb von seiner Beförderung zum *Sonderführer* und davon, daß er das EK 2 bekommen hatte. Mit dieser Würde schienen ihm gewisse Verniedlichungen nicht mehr vereinbar.

Ansonsten enthielten die Briefe Durchhalteparolen (wir müssen halt alles so nehmen, wie es das Schicksal gibt, und uns nicht unterkriegen lassen . . .) und Zukunftshoffnungen (einmal wird die Stunde da sein, wo ich meine Gedanken wieder frei tragen darf, und wissen werde, alles ist gut und vorbei). Die Zeit nach dem Krieg stellte sich mein Vater ganz anders vor, als sie gekommen war. Beim Lesen dieser Zeilen beschlich mich ein überaus seltsames Gefühl.

Ich war im Jahr 1942, aber ich sah bis 1975 voraus. Mein Vater hoffte auf den Endsieg; eine steilansteigende, berufliche Karriere in einem »neuaufblühenden, gesunden, friedlichen« Deutschland; eine glückliche Ehe mit einer ihn beruflich und privat perfekt ergänzenden Frau; einen Sohn, auf den der Führer stolz sein konnte. Da siehst du, sagte mein Vater im Spital, an seinem Körper hingen wieder diverse Schläuche und Sonden, was aus all den Illusionen wird. Und ich saß da und empfand für einige Minuten fast körperlich, wie die Zeit verging.

2

An einem dieser Tage, während mein Vater im Spital lag, hatte ich Fernsehaufnahmen. Als der Kameramann meinen Namen hörte, horchte er auf. Henisch, sagte er, Henisch? Sind Sie vielleicht verwandt mit dem kleinen, glatzköpfigen Fotografen? Ja, sagte ich, ich bin tatsächlich mit ihm verwandt; ich bin sein Sohn.

Ihr Vater, sagte der Kameramann, ist ein lustiger Mensch. Immer einen Witz auf den Lippen, immer einen Schabernack im Kopf - ich steh auf ihn. Henisch weiß, was Frauen wünschen, wenn Ihr Vater diese Masche abzieht, hau ich mich immer ab. Und der Gorillaklub, also der Gorillaklub war wohl seine tollste Idee.

Der *Gorillaklub* war eine von meinem Vater ins Leben gerufene Institution, an deren wirkliche Existenz ich lange Zeit nicht geglaubt hatte. Ich habe, hatte mir mein Vater eines Tages, ein schelmisches Lächeln auf den Lippen, eröffnet, einen Klub gegründet. Der Sinn und Zweck dieses Klubs besteht darin, daß jedes Mitglied dem Präsidenten bei jeder Begegnung mit demselben einen Schilling zahlt. Dafür steht dann dieses Mitglied bis zur nächsten Begegnung mit dem Präsidenten unter dessen Schutz.

Präsident bin natürlich ich. Mitglieder sind zum Beispiel die meisten Abgeordneten im Parlament. Ich muß jetzt fast täglich im Hohen Haus fotografieren, da ist das ein gutes Geschäft. Der Klub ist überparteilich, ich nehme meine Schillinge sowohl mit der linken als auch mit der rechten Hand. Wenn mich der Bundeskanzler sieht, greift er genauso pflichtbewußt zum Geldbörsel wie der Oppositionschef.

Ob das mit dem Bundeskanzler Angabe war, wußte ich nicht genau, aber ein sicheres Gorillaklubmitglied war der Wiener Bürgermeister. Im Labor meines Vaters steckte nämlich ein Foto, auf dem er mit dem Bürgermeister zu sehen war, und darunter stand eine handgeschriebene Widmung: Meinem verehrten Präsidenten des berühmten Gorillaklubs etc. etc., unterschrieben Leopold Gratz. Für die Politiker, sagt mein Vater, ist die Mitgliedschaft in meinen Klub, eben *weil* die ganze Geschichte so verrückt ist, Ehrensache.

Übrigens haben alle die gleiche Mitgliedsnummer. 2.232, – aber das wissen sie nicht. Ich jedoch habe diese Nummer im Kopf. Und spreche jedes Mitglied persönlich an.

Grüßen Sie Ihren Vater, sagte der Kameramann, ich habe ihn schon lang nicht gesehen. Sagen Sie nur: Gorilla 2.232! Ich sagte: Mein Vater ist krank und liegt im Spital. Aber der Kameramann verstand mich nicht. Sagen Sie ihm, er solls gut machen, grinste er breit. Ich sagte: Mein Vater ist krank, es geht ihm nicht gut. Gut soll ers machen, gut aber nicht zu oft. Ich sagte nichts mehr. Die Kamera surrte zu laut.

Dann ist der Frühling gekommen, sagt die Stimme meines Vaters auf dem Tonband, der Schnee ist geschmolzen, aber was geblieben ist, war der Schlamm. Wir sind mit dem General Winter fertig geworden, hat es im lyrischen Jargon der deutschen Militärs geheißen, wir werden auch mit dem General Schlamm fertig. In den Gräben ist kniehoch das Wasser gestanden, Bunker und Unterstände waren einzige Pfützen. Die Soldaten sind nicht aus ihren nassen Kleidern herausgekommen, in der Nacht ist das Zeug gefroren, bei Tag wieder aufgetaut.

Das war nun wieder entsprechend den Direktiven für die Kriegsberichter im Bild festzuhalten. Das Propagandaministerium hat sich vom Schreck der Winterkrise erholt und erneut sehr genaue Anweisungen gegeben. Sonderführer Henisch, Sie wissen, worauf es jetzt ankommt, Zähne zusammenbeißen, Ohren steif halten, nicht schlapp machen. Weniger Realismus, mehr Idealismus!

Also habe ich durch den Morast stapfende Nachrichtenleute fotografiert (die Verbindung mit der Heimat reißt auch unter den widrigsten Umständen nicht ab . . .), an den Rädern von Panjewagen mitdrehende Kanoniere (wir ziehen den Karren schon aus dem Dreck . . .) und die Reinigung der unter diesen Umständen besonders leicht verschmutzenden Waffen (deutsche Gewehre allzeit bereit). Nicht, daß ich meinen schrittweisen Rückzug in die Lüge nicht begriffen hätte. Aber ich habe ja gar keine andere Wahl mehr gehabt.

Meinen Einwänden weicht mein Vater in die oft und gern erzählte Anekdote über seine Ferntrauung aus. Ganz im Vertrauen, sagt er, deine Mutter hat mir damals einige recht verdächtige Briefe geschrieben. Man habe, hat sie geschrieben, schon öfter versucht, sie zu *verleiten* etc., Dinge jedenfalls, die es mir nicht gerade erleichtert haben, auf das Ende der Urlaubssperre zu warten. Ich habe ihr also die Vorteile einer Ferntrauung (finanzielle Versorgung für sie, bessere Urlaubschancen für mich) in den schönsten Farben gemalt.

Mein Kompaniechef, heißt es in einem diesbezüglichen Feldpostbrief, hätte alles getan, um mir einen Urlaub herauszuschinden. Aber leider, Roseli, die Lage ist allzu ernst, kurz, es geht nicht. Die Ferntrauung, die eine ernste nationale Feier für uns beide ist, verbindet uns über tausende von Kilometern. Der Größe der Zeit und der Stunde angepaßt, bleibt sie uns sicher immer eine erhebende Erinnerung.

Also die Lage war folgende, sagt mein Vater. Man fliegt mich mit einem *Storch* von der Front nach Smolensk. Smolensk, Divisionsgefechtsstand: ein kahles Büro. Mein Divisionskommandeur als Standesbeamter.

Die Rolle ist ihm sichtlich nicht ganz geheuer. Er blättert in einer Broschüre zur Deutschen Ehe. Vor ihm auf dem Schreibtisch ein Stahlhelm anstelle der Braut. Er zeigt auf den Helm und redet von Kindersegen.

Sind Sie, fragt er, gewillt, die Jungfrau – er zeigt auf den Stahlhelm – zur Frau zu nehmen, so sprechen Sie deutlich jawohl. Jawohl. Heil Hitler. Gratulation, Kamerad –. Damit, sagt mein Vater, war die Trauung beendet.

Nachher hat es allerdings Cognac gegeben. Den *Storch* für den Rückflug habe ich dreifach gesehen. – Mein Vater hat

Freude an witzigen Einzelheiten. – In eins der drei Flugzeuge bin ich halt eingestiegen. Die Hochzeitsnacht habe ich zwischen zwei Panzern verbracht. Die Motoren der Panzer haben geheizt. So bin ich schließlich als Ehemann eingeschlafen. Mit einer leeren Cognacflasche im Arm.

Dann ist der Sommer gekommen, meine Arbeit ist im Prinzip die gleiche geblieben, nur ist sie in dem Maße schwieriger geworden, als wir nach dem Steckenbleiben der Operationen *Blau* und *Braunschweig* nun eben wirklich kein Siegesheer mehr waren, sondern ein Heer auf dem *strategischen Rückzug.* Die den Sowjets noch verbliebene lebendige Wehrkraft endgültig zu vernichten und ihnen die wichtigsten kriegswirtschaftlichen Kraftquellen so weit als möglich zu entziehen, wie sich das der große Adolf auf dem Obersalzberg vorgestellt hat, ist uns bei der fortgesetzten Überdehnung der Fronten nicht geglückt. Der Ostfeldzug hatte bis zu diesem Zeitpunkt allein das Heer rund dreihunderttausend Gefallene, sechstausend Vermißte und über eine Millionen Verwundete gekostet. Aber auch das, sagt die Stimme meines Vaters, war propagandistisch positiv, nicht negativ zu verwerten.
Aus jedem kleinen Ritterkreuzträger war eine große Bildgeschichte zu machen. Der Mythos des Verteidigers von Frau und Kindern fern der Heimat. Stünden wir nicht an der Wolga, die Russen stünden am Rhein. Und das wäre schlimmer als ein Tartarensturm.
Und die vom Reichsverband der deutschen Presse erstellten Zensuren werden besser und besser. In den deutschen Zeitungen erscheinen mehr und mehr Bilder mit dem Impressum meines Vaters. Habt Ihr die Berliner Illustrierte vom 20. 4. gesehen? fragt er in einem Feldpostbrief, und das Titelblatt der Münchner vom 29. 5.? Ich bin froh und stolz, daß meine Arbeit jetzt die entsprechende Würdigung findet.

Aber das ist doch, wende ich ein, als malte ein Maler an einem Hitler-Bild. Er ist drauf und dran, zu erkennen, wie häßlich er diesen Menschen, wenn er ihn überhaupt malt, zu malen hätte, und reißt mit dem Pinsel einige Löcher in das, was er bisher, ohnehin unverzeihlich naiv, gemalt hat. Da kommt ein Herr von der Reichskulturkammer und sagt: So kaufen wir Ihnen das Hitler-Bild aber nicht ab. Und flugs retuschiert der Maler das bißchen Wahrheit, das er auf seiner Leinwand aufzureißen im Begriff war, wieder zu.

Ja, sagt mein Vater, dieser Vergleich ist nicht schlecht. Nur hast du vergessen, es geht nicht bloß darum, das Hitler-Bild zu verkaufen. Für unseren Maler geht es um seine Existenz in viel weiterem Sinn. Wie lange, glaubst du, ließe man ihn die Wahrheit malen?

Und du, schreibst du wirklich immer das, was du meinst? Überleg dir deine Antwort genau! Und wenn du es tust, wie weit wirst du kommen damit. Dabei bist du glücklicherweise später geboren.

Ich saß da, hörte die Argumente meines Vaters vom Tonband und schrieb auf, daß er sich bloß verteidigte. Aber als ich diese Behauptung, kugelschreiberblau auf notizblockweiß vor mir stehen sah, strich ich sie wieder durch. Mir war ein Gespräch eingefallen, das ich vor noch nicht allzu langer Zeit mit einem Redakteur im Café Landtmann geführt hatte. Und der Redakteur hatte mich dazu überreden wollen, eine Kolumne für seine Zeitung zu schreiben.

Sie müssen diese Kolumne halt so schreiben, daß sie den Erwartungen der Leser entspricht. In Ihrem letzten Büchel waren ja einige nach diesem Muster gestrickte Stellen drin. Und natürlich dürfen Sie auch nicht gegen die Erwartungen der Zeitung, sprich ihres Eigentümers, schreiben. Aber das brauche ich Ihnen ja nicht zu sagen, das versteht sich wohl von selbst.

Sie sind doch ein vernünftiger Mensch, Herr Henisch, Sie wissen, worauf es ankommt. Sie können doch, habe ich den Eindruck, alles schreiben. Sie haben ein gutes Gespür für das, was en vogue ist. Schlagen Sie ein, und Sie haben zweimal im Monat Ihr sicheres Geld.

Ich hätte mir etwas darauf einbilden können, daß ich dieses Angebot abgelehnt hatte, aber ich tat es nicht. Ich hatte dieses Angebot abgelehnt und andere weniger ehrliche angenommen. Auch zu mir selbst war ich unehrlicher geworden, hatte mir allenthalben etwas vorrationalisiert und fand mich unversehens auf dem Sprungbrett zum *Journaillismus*. Daß ich nicht sprang, sondern eine geraume Weile wie angewurzelt stehenblieb, bevor ich mich mit kleinen Schritten rückwärtsgehend aus der Affäre und damit auch aus dem gerade erst anlaufenden Geschäft zog, hing weniger mit meinem Ekel gegen das dreckige Wasser da unter mir zusammen, als mit meiner Angst davor, es – einmal kopfüber drin – gar nicht mehr so ekelhaft zu finden.

Den Ausschlag für meinen endgültigen Rückzug aber gab schließlich der Auftrag, mich mit einem Pressefotografen in Verbindung zu setzen, der, wie man mir versicherte, bei jedem Gewaltverbrechen als erster zur Stelle war. Der Mann hatte sowohl im Auto als auch zu Hause ein Funkgerät, hing also Tag und Nacht am Polizeifunk und ließ ganz einfach, das gebot ihm schon sein im Laufe der Jahre erworbener Ruf, keine *schöne Leiche* aus. Was Sie zu tun haben, hieß es, ist nichts anderes als mit diesem Herrn Kontakt aufzunehmen, auf einen *hübschen Mord* zu warten und dann mit ihm zu fahren. Beobachten Sie seine Reaktionen, studieren Sie seine Mentalität und liefern Sie uns einen kritischen Bericht.

Daheim lümmelte ich mich übers Telefonbuch, suchte den Namen des Pressefotografen und wählte die Nummer. Eine Dame am anderen Ende der Leitung bat ich routiniert, mich mit ihrem Gatten zu verbinden. Und dann hatte ich ihn am Apparat, er sagte: hallo wer spricht? und ich gab ihm keine Antwort. Nicht, daß ich ihm keine Antwort hätte geben wollen, es war mir nur plötzlich einfach unmöglich, ihm eine Antwort zu geben.

In diesem Augenblick sah ich mich neben ihm, diesem Mann mit der Stimme eines Sportreporters, im Auto sitzen und an den Schauplatz eines *hübschen Mordes* fahren. Ich sah mich mit ihm aussteigen und die *schöne* Leiche betrachten, die er von allen Seiten fotografierte. Ich sah mich seine Reaktionen beobachten, seine Mentalität studieren und einen *kritischen Bericht* schreiben. Hallo wer spricht denn? sagte die Sportreporterstimme verärgert, und dann, als ich wieder nicht antwortete, offenbar zu der Frau, mit der ich zuerst gesprochen hatte: Ein Verrückter.

Diese Nacht träumte ich, ich habe eine Biografie zu schreiben, aber ich wußte nicht, über wen. Ich war drauf und dran, zu erkennen, wie kritisch ich meinen Helden, wenn überhaupt, zu beschreiben hätte, und tippte diese Erkenntnis zwischen die Zeilen, die ich, bisher ohnehin unverzeihlich naiv, verfaßt hatte. Ein Herr mit Hakenkreuzmütze und der

Stimme des Redakteurs aus dem Landtmann sagte: Nein, also so geht das wirklich nicht. Und ein junger Mann, der mein noch ungeborener Sohn war, sah mir über die Schulter.

Der Krieg ist zum Alltag geworden, die Kriegsberichterei ist zum Alltag geworden, was ich, sagt mein Vater, zu tun gehabt habe, habe ich mit immer mehr Routine getan. An die Front fahren, fotografieren, zurück zum Gefechtsstand fahren, ausarbeiten, Bericht schreiben, Zeug nach Berlin senden. Dort haben sie dann die Sachen begutachtet, meist neu zusammengestellt und propagandistisch gewürzt. Ich habe oft gestaunt, was man auf diese Weise aus meinen Bildern gemacht hat. Aber im Grunde genommen, sagt die Stimme meines Vaters auf dem Tonband, hat mich das überhaupt nicht mehr interessiert. *Ich* habe meine Arbeit geleistet, was dann der Herr Goebbels mit ihren Produkten getan hat, war nicht mein Bier. Sicher, ich habe mich den Anweisungen nicht widersetzt, aber was mache ich denn heute? Wenn man mir sagt, fotografieren Sie einen Dackel als Windhund, so fotografiere ich ihn als Windhund.

Wir bringen Ihnen zur Kenntnis, heißt es bald darauf in einem Schreiben des *RVP/Landesverband Ostmark,* daß Sie in die Sonderliste der für den Schriftleiterberuf geeigneten Kriegsberichter aufgenommen worden sind. Sie werden, sobald Sie aus der Wehrmacht ausscheiden, in die ordentliche Berufsliste der Schriftleiter eingetragen. Die Eintragung erfolgte in Ihrem besonderem Fall unter Befreiung vom Erfordernis der fachmännischen Ausbildung. Sie erhalten damit das verbriefte Recht, auch im Zivilleben als deutscher Bildberichter tätig zu sein . . .
Man hat mir vor einigen Tagen, schreibt mein Vater kurze Zeit später, wieder einmal ein Angebot, diesmal aus Prag, gemacht, als Bildberichter und Propagandafachmann in einem dortigen Verlag zu arbeiten. Das ist schon der vierte oder fünfte Antrag, der nur aufgrund meiner bisher erschienenen Bilder an mich gerichtet wird. Leider darf ich laut Reichspropagandaamt, solange der Krieg dauert, keinerlei Zusagen machen. Doch hat mir die Arbeit in der Propagandakompanie, wie Du siehst, Roseli, viele Jahre erspart.
Natürlich hat es auch Rückschläge gegeben, für eine Zeitlang

hat man mich sogar strafweise zu einer Infanteriekompanie versetzt. Und zwar aufgrund einer anonymen Anzeige in Berlin, derzufolge ich eine in der ganzen deutschen Presse vielbeachtete Bildreportage gestellt hätte. Nun war das Stellen von Bildreportagen das Einverständnis oder noch besser den Befehl des Propagandaministeriums vorausgesetzt, eine mit der Stagnation des deutschen Angriffs durchaus nicht mehr ungewöhnliche oder gar verpönte Praxis. Das Volk zu täuschen haben die Herrschaften im Propagandaministerium ja durchaus in Ordnung gefunden, nur selbst getäuscht zu werden, und sei es auch nur in einem so harmlosen Fall wie diesem, das haben sie schlecht vertragen.

Meine Reportage nun hat das zufällige Zusammentreffen zweier durch die langen Kriegsjahre getrennter Brüder an der Front geschildert. Stutzen, Wiedererkennen, Umarmung, Lachen und Weinen – das alles war auf den Bildern . . . Der einzige Haken: ich war nicht wirklich dabei. Ich habe zwar nicht gestellt, aber rekonstruiert.

In unserem Frontabschnitt war eine relativ ruhige Phase. Wir haben Quartier in einem winzigen Dorf gehabt. Ich habe die alten Bauern beim Sonnen fotografiert. Oder im Dreck der Dorfstraße spielende Kinder. Als *Mensch* war ich froh, über soviel Frieden im Krieg. Als *Kriegsberichter* war ich unausgelastet. Und außerdem habe ich einen Erfolg gebraucht. Schon allzu lang war kein Foto von mir erschienen.

Da erzählt man mir eines Abends diese Geschichte: Zwei Brüder haben sich aus den Augen verloren . . . der war in Skandinavien, jener in Frankreich . . . dann der in Nordafrika, jener in Griechenland . . . sie haben jahrelang nichts voneinander gehört . . . in Deutschland gibt es keine Verwandten mehr . . . einer weiß nicht, ob der andere lebt . . . und plötzlich, mitten in Rußland, treffen sie sich.

Klassisch rührend, nicht wahr? Welch eine Story! Nur schade, daß sie keiner fotografiert hat. Oder, wenn man es recht bedenkt, Gott sei Dank. Was noch nicht fotografiert ist, kanns ja noch werden.

Was tu ich also? Ich treibe die Brüder auf. Sie dienen zum Glück in einer benachbarten Einheit. Den Marschbefehl zu bekommen ist kein Problem. Austausch von propagandistischem Material . . . Und schon hat der clevere Walter die beiden gefunden. In einer Scheune, die als Kantine dient. Und schon sitzt er im Gespräch mit den beiden am Tisch. Und zahlt einen Hiwischnaps. Und noch einen zweiten. Und dann gehen wir drei miteinander hinaus in den Graben. Und die zwei Brüder ziehn ihre Szene ab. Das ist wie im Burgtheater, wenn nicht noch besser! Sogar ein paar richtige Tränen kriegen sie hin . . . Das ist alles gewesen. Das hat genügt. Das ist mich ziemlich teuer zu stehen gekommen. Aus Berlin hat man tiefe Empörung geheuchelt. Ein deutscher Kriegsberichter tut sowas nicht. Also Entzug des Dienstgrades Sonderführer. Und Versetzung in eine andere Kompanie. Vorübergehend aber wirksam genug. Sechs Wochen Krieg ohne Kamera vor dem Gesicht.

Glaubst du, es ist ein Vergnügen, auf Menschen zu schießen, die dir nichts getan haben? Du hast die Hand am Abzug deiner Waffe und drüben fallen sie reihenweise um. Doch die andern haben die Hände genauso an den Abzügen ihrer Waffen. Wenn du nicht schneller bist und ein bißchen mehr Glück hast, bist halt du derjenige, der umfällt.
Aber einen Menschen zu *erschießen* ist, so schlimm es an und für sich ist, nur halb so schlimm. Viel schlimmer ist es, einen Menschen im Nahkampf zu töten, mit aufgepflanztem Bajonett. Du siehst, wie er ausschaut, du spürst, wie sein Fleisch zerreißt. Seine Augen kannst du lang nicht vergessen.
Ohnehin schaffst du das nur mit einer Menge Alkohol im Leib. Sie geben dir Schnaps und denen auf der anderen Seite geben sie Wodka. Dann rennst du los mit Hurra und während des Rennens wird deine Angst zur Wut. Und die andern kommen dir entgegen mit Urrä und ihre Wut entsteht ganz genauso.
Ja, wahrscheinlich habe ich, in diesen zwei Monaten ohne Kamera, zu trinken begonnen. Und wie anders auch hält man so viel grausame Wirklichkeit mit freiem Auge aus? Das Trinken *distanziert* dich zwar nicht, doch es *narkotisiert*. Und manchmal brauchst du das: die totale Narkose.
Nun bewirkt das Schnapstrinken eine unmittelbare Betäubung und Enthemmung. Das Weintrinken aber wirkt mittelbarer und ist eine Folge länger anhaltender, nie bewältigter Krisen. Tatsächlich habe ich immer dann getrunken, wenn ich aus einer plötzlichen Hilflosigkeit mir selbst oder anderen gegenüber wieder das Gefühl gehabt habe, ich bin doch nur

der Schrapp. Noch immer oder schon wieder – und alles darüber hochgestapelte Selbstbewußtsein war auf einmal beim Teufel.

Da fotografierst du irgendein öffentliches Gesicht und plötzlich wird dir bewußt, daß dein Beruf nicht das geworden ist, was du dir erträumt hast. Und dann kommst du nach Hause und merkst, du gehst deiner Frau und den Kindern nur auf die Nerven. Und was hast du dir vorgestellt! – das Verhältnis erfüllter und unerfüllter Hoffnungen ist 1 zu 99. Und du stürzt tief hinunter in deine schlimme Kindheit, aber zum Unterschied von damals hast du jetzt keine Chance mehr, zu wachsen.

Und im Wirtshaus stehen ein paar Lackelmänner an der Budel, und du mußt erst einen blöden Witz reißen, damit man dich überhaupt sieht. Und die andern reißen ihrerseits blöde Witze, und da die meisten dich betreffen, brauchst du eine Überdosis Alkohol, um sie zu vergessen . . . Wenn ich das Gefühl habe, nicht für voll genommen zu werden, könnte ich etwas zertrümmern, zerstören. Aber weil ich das gar nicht kann oder will, zerstöre ich lieber mich selbst.

Ich weiß nicht, sagte meine Mutter, was mit dem Papa los ist, er führt jetzt so komische Reden. Der Arzt, sagt er zum Beispiel, hat ihm *versprochen*, daß er draufgeht, wenn er noch etwas trinkt. Der Arzt, sagt er, hat ihm *Hoffnung* gemacht, ein einziger Tropfen Alkohol könnte sein Tod sein. Der Arzt, sagt er, ist ein Schwindler, dem glaubt er nichts mehr.

Ich weiß nicht, sagte meine Mutter, mit dem Papa kenne ich mich manchmal gar nicht mehr aus. Und dabei bin ich seit mehr als dreißig Jahren mit ihm verheiratet und kenne ihn gut. Aber manchmal, weißt du, da weiß ich wirklich nicht, ob er nur einen Witz macht oder etwas ernst meint. Sein sogenannter Humor ist mir manchmal richtig verdächtig.

Und dann, sagte meine Mutter, passieren auch lauter so komische Sachen in letzter Zeit. Bevor der Papa diesmal ins Spital gekommen ist, war die Cognacflasche, die sich dein Bruder Walter gekauft hat, verschwunden. Und im Handschuhfach seines Autos, was glaubst du, was der Papa da hat? Eine Pistole! – um Himmels Willen wozu?

Bleib so, sagte meine Mutter plötzlich, rühr dich nicht und halt dein Gesicht gegens Licht! Was ist denn, fragte ich, sie aber griff mir ans Kinn und rückte meinen Kopf noch ein Stück zum Fenster. Jetzt ist es vorbei, sagte sie, und ließ den Arm sinken, aber zuerst war es geradezu frappant. Du hast einen Augenblick ausgesehen, wie der Papa!

Dann war ich wieder im Labor und griff zielstrebig nach dem Ordner vom letzten Mal. Doch so sehr ich ihn auch schüttelte, das Foto meiner Mutter im Badeanzug fiel nicht heraus. Ich blätterte den Ordner systematisch vom Anfang bis zum Ende durch, aber vergebens. Ich versuchte, immer hastiger blätternd, einen zweiten Ordner, dann einen dritten, aber ohne Erfolg.

Da waren nichts als Einsatzbefehle, Zensuren der Bildprüfstelle und Feldpostbriefe in der steilen, manchmal etwas engen Schrift meines Vaters. Ich las, ohne zu begreifen – das seltsame Verschwinden des Fotos blockierte mein Gehirn. Schließlich jedoch stieß ich auf eine Reihe um die Jahreswende 42/43 geschriebener Briefe. Und das verschwundene Foto für einige Augenblicke beinahe vergessend, begann ich zu lesen.

Mein liebes Herzerl, las ich, nur noch wenige Tage und ich bin endlich bei Dir. Wenn es auch nur ein kurzer Urlaub sein wird, so wünsche ich mir in dieser Zeit doch möglichst viel Liebe. Und auch Du, Roseli, sollst meine ganze, tiefe Liebe haben in dieser Zeit. Ich glaube bestimmt, wir werden in diesem Urlaub grenzenlos glücklich sein.

Diesem Urlaub, sagt die Stimme meines Vaters auf dem Tonband, habe ich wahrscheinlich mein Leben zu verdanken. Während sich an der Front die Tragödie von Stalingrad angebahnt hat, bin ich mit deiner Mutter im Bett gelegen. Und kurze Zeit später hat sie mir dann geschrieben, daß ihre Regel ausbleibt. Daß also du diesem Urlaub dein Leben zu verdanken hast, ist folglich nicht nur wahrscheinlich, sondern sicher.

Wenn du mir ein Kind schenken willst, Roseli, dann hast Du damit die schönste und wertvollste Aufgabe Deines Lebens begonnen. Bringe es, was immer auch kommen mag, als Kind einer überstarken und ganz großen Liebe zur Welt. Noch weiß ich ja nicht, ob es tatsächlich der Fall sein wird, aber mein Herz rechnet damit. Obwohl der Verstand etwas bremsen wollte – die Liebe war stärker!

Ansonsten ist in diesen Briefen viel von Rudi, einem in Stalingrad vermißten Bruder meiner Mutter die Rede. Ich wäre, soll er auf seiner allerletzten Karte geschrieben haben, froh, wenn ich ein Stück hartes Brot hätte. Brot zu senden, schreibt mein Vater von der Oka, hat keinen Sinn, weil man, wenn man tatsächlich eingeschlossen ist, keine Pakete bekommt. Bestimmt, es wird arg sein da unten, aber man darf nicht immer gleich alles so schwarz sehen, wie es auf den ersten Blick aussieht.

Allerdings sieht auch mein Vater, der selten alles schreibt, was er meint (als Kriegsberichter kann ich mir, heißt es einmal, besonders jetzt, nach der Strafversetzung, gewisse Äußerungen nicht erlauben . . .) die Lage nicht allzu rosig. Es war wirklich noch nie so hart und schwer, wie gerade jetzt. Nicht nur, daß die Russen unsere Stellungen in täglich dichter werdenden Wellen angreifen. Es wehen auch derart orkanartige Schneestürme, wie wir sie alle miteinander trotz des schrecklichen, vorigen Winters noch nicht erlebt haben.

Am 27. 2. allerdings ist er wieder bei seiner alten Einheit und offenbar auch selbst wieder ganz der Alte. Ich habe, schreibt er, einige *wunderbare* Kampfaufnahmen von einem *herrlichen* Infanteriesturm gemacht. Wenn auch schwerste Kämpfe im Gange sind, schon taut manchmal etwas Schnee in der Steppe, und bald kommt das Frühjahr. Wenn also die Lage auch noch so ernst scheint, so sehe ich doch nicht ganz hoffnungslos in die nächsten Wochen des Krieges.

Und tatsächlich: mit Frühjahr und Sommer 43 kommt, wenn schon nicht für die deutsche Wehrmacht, so doch für den Wehrmachtsangehörigen Walter Henisch eine noch nie dagewesene Erfolgssträhne. Zum eisernen Kreuz zweiter Klasse, zum einfachen Sturmabzeichen, zur Medaille Winterschlacht im Osten, zum Sturmabzeichen in Silber, zum Verwundetenabzeichen in Schwarz habe ich jetzt auch noch das eiserne Kreuz erster Klasse verliehen bekommen. Nie sind mehr Fotos von mir in Zeitungen und Zeitschriften erschienen, als gerade damals. Und die Zensuren der Bildfachprüfer waren nie besser.

Die Bildberichterstattung der Kompanie, steht in der *Anlage zum Informationsdienst 5/43 der P.K. 693*, zeigte hervorragende

Leistungen. Im Monat Mai wurden 54 Aufnahmen (davon 4 Titel) in der Bildpresse veröffentlicht. Den Hauptanteil stellte *Henisch* mit 30 Aufnahmen und 2 Titelblättern. Seine Leistungen waren wieder in jeder Hinsicht ausgezeichnet.

Besonders gut war die Reportage *die 24 Stunden des Grabenkämpfers*, vorbildlich die für die Nachwuchsförderung besonders geeignete Serie *Wiener feiern das Frontsportfest*. Gemäß Abteilungs-Tagesbefehl Nr. 22 vom 20. 3. 43 wurde *Henisch* mit 1. 4. 43 zum Unteroffizier befördert. Zu dieser Beförderung gratuliert die Kompanie.

Und dann liest mir mein Vater seinen geliebten Rückblick auf den August 43 vor –: In der Illustrierten Presse veröffentlicht wurden von den Bildberichtern der Kompanie diesmal 76 Aufnahmen. Das meiste war wieder von *Henisch* mit 40 Binnenbildern und 3 Titeln. Mit dieser Leistung liegt er an der Spitze sämtlicher Bildberichter der deutschen Wehrmacht.

Ja, sagt mein Vater, darauf war ich wirklich stolz. Albert Prinz, du altes Ekel, hab ich manchmal gedacht, jetzt schau herunter aus deinem Veteranenquartier in Walhall und sieh, was dein Krispindel von Stiefsohn erreicht hat! Nicht in die Hitlerjugend eintreten dürfen, lächerlich, es gibt noch ganz andere Organisationen, in die man mit etwas Glück und Geschick hineinrutscht . . . Wohin hätte ich es, trotz oder gerade wegen meines angeblich anderen Blutes nach einem von Deutschland gewonnenen Krieg noch gebracht!

Ja, wohin, denke ich . . . Und wie war das, fragt meine Stimme auf dem Tonband, mit dem Warschauer Ghetto?

Wieso mit dem Warschauer Ghetto, stutzt die Stimme meines Vaters, warum fragst du das ausgerechnet jetzt?

Warum nicht, sage ich, du hast mir doch einmal erzählt, daß du im Warschauer Ghetto warst. Es ist mir halt gerade jetzt eingefallen, ich weiß selbst nicht genau warum.

Mein Gott, sagt mein Vater, was soll ich dir über das Warschauer Ghetto erzählen? Ich habe mein Lebtag nichts widersprüchlicheres gesehen, als die Gesichter der dortigen Juden. Angst, Unterwürfigkeit, Haß, Aufruhr, alles zugleich war in ihren Mienen. Manche sind einem wie Hunde entgegengeschweifelt, haben einem die Hände geküßt und einen per General angeredet, andere aber haben einen mit einer derart

stolzen Kälte angesehn, daß einem eine Gänsehaut den Buk-
kel hinuntergelaufen ist.

Für uns Journalisten hats eine Art von Presseführung gege-
ben. Warschauer Ghetto unter deutscher Verwaltung.
Blankgeputzte Quartiere. Musikkapelle. Schulung zum Ar-
beitseinsatz. Zucht und Ordnung.
Rundherum allerdings war Stacheldraht.
Und Deportationen waren auch schon im Gang.
In *Auffanglager* hat es lakonisch geheißen.
Mehr hat man offiziell nicht zu wissen gehabt.
Ich frage: und was hat man inoffiziell gewußt?
Es folgt eine lange Pause. Mein Vater schweigt.
Ich frage weiter: und *Du*, als Propagandist?
Nichts sehen, orakelt mein Vater, nichts hören, nichts reden.

Also, wie ich das *EK I* bekommen habe, sagt mein Vater, jetzt
wieder ganz Geschichtenerzähler – und ich sehe ihn, den Papa
meiner Kindheit, im Fauteuil sitzend, behaglich zurückge-
lehnt, in der Hand ein Glas Wein, umlauscht von Gästen – das
war folgendermaßen. Ich wurde damals einer Panzerkompa-
nie zugeteilt, die mit überschweren T 34 ausgerüstet war. Wir
hatten die Aufgabe, aus dem Raum Orel heraus hinter die
russische Front zu stoßen. Ziel des Angriffs war eine sogenannte Frontbegradigung durch kurzes Abschneiden des
Kursker Beckens.
Ich melde mich also beim Kommandeur der Einheit, einem
gewissen Major Souvant, und der war ein fast perfektes
Rommelabziehbild. Was sind Sie, fragt er, Kriegsberichter,
Propagandafritze – na was soll ich denn bloß machen mit
Ihnen? Haben Sie Ausbildung, können Sie schießen? – wissen
Sie, Schöngeister können wir hier bei uns partout nicht
brauchen. Ich setz Sie in einem Tigerbegleitpanzer ein, da
sind Sie uns auch als Soldat von Nutzen und können ja
Bildchen knipsen, wenn Sie können.
Die Tigerbegleitpanzer sind hinter den Tigern her gefahren,
waren oben offen und haben anstelle des Turms ein starkes
Drahtnetz gegen Handgranaten gehabt. Order war, einfach
durchzubrechen, in die Artilleriestellungen einzufallen, keine
Gefangenen zu machen und alles nieder zu walzen. Im Anfang hat das auch ganz hübsch geklappt: wir haben nichts
hinter uns zurückgelassen, als Blut und Dreck. Nach zehn,

fünfzehn Kilometern aber sind wir plötzlich auf schweren Widerstand gestoßen.

Und dann bleibt auf einmal eine Handgranate, statt von unserem Schutznetz abzuprallen, direkt über unseren Köpfen hängen. Der Kommandant unseres Panzers kann sie noch im letzten Moment von innen wegstoßen, aber bei dieser Gelegenheit hat es ihn erwischt. Über den Bordfunk haben wir zu diesem Zeitpunkt noch Kontakt mit dem forschen Souvant gehabt. Wer ist der nächste Dienstgrad, hat seine Stimme geschnarrt – und dieser nächste Dienstgrad war leider ich.

Schmeißen Sie Ihr Fotozeugs weg, Sie übernehmen ab sofort das Kommando über den Panzer! Natürlich habe ich das *Fotozeugs* nicht wirklich weggeschmissen, sondern wie der Teufel weiter fotografiert. Und ohne die Kamera, an die ich mich habe anklammern können, hätte ich das alles sicher überhaupt nicht geschafft. Die Soldaten haben von selbst gewußt, was sie zu tun haben, die haben sowieso keine Befehle gebraucht.

Wo sich was geregt hat, hat man, bis sich nichts mehr geregt hat, hingeschossen . . . Wo sich was erhoben hat, ist man, bis sich nichts mehr erhoben hat, drüber gerollt . . . Gekommen sind wir auf diese Weise bis etwa einen Kilometer vor einem Laubwald, aus dem, obwohl sich vorläufig nichts gerührt hat, starke Feindeinwirkung zu erwarten war. Drei Tigerbegleitpanzer, sagt die Reibeisenstimme Souvants, lösen sich vom Mutterfahrzeug und bilden einen Spähtrupp!

Natürlich hätte uns der Sauhund lieber mit den kleinen Panzern draufgehen lassen, als seine wertvollen Tiger zu riskieren. Und cirka auf halbem Weg zum Wald gibt es auch wirklich einen Riesenkrach, der Panzer dreht sich, und wir sitzen auf einer Mine. Wir haben zwei Verwundete gehabt, einen davon hat es im Kreuz getroffen, der andere war blind. Bleiben Sie im Panzer, hat sich die Stimme des Majors leicht geredet, und kämpfen Sie sich im Schutz der Nacht zurück.

Unmittelbar nach diesen guten Ratschlägen war dann die Funkverbindung endgültig weg. In der Dämmerung sind die Russen gekommen, ein Widerstand war von vornherein vollkommen aussichtslos. Sie haben gerufen, wir sind mit erhobenen Händen aus dem Panzer heraus. Man hat uns entwaffnet und in ein Grabensystem am Waldrand gebracht.

Dort hat man mich, wahrscheinlich wegen meiner Kameras und dem bei Kriegsberichtern prinzipiell vermuteten Informationsmaterial, vorläufig von den anderen getrennt. Und vorgeführt hat man mich einem Kommissar, der mich in perfektem Deutsch angeredet und sich schließlich als ein Wiener Jude aus der Leopoldstadt entpuppt hat. Großer Himmel, hat er gesagt, und interessiert in meinem Soldbuch geblättert, Sie kommen auch aus Wien, na das freut mich aber! Und hat ein Gespräch über Wiener Gassen, Caféhäuser und Personen begonnen: haben Sie den gekannt, waren Sie dort etc., so als wären wir nicht Gegner in diesem blöden Krieg, sondern einfach Landsleute gewesen, die sich im Ausland begegnen.

Dann hat er mir aber plötzlich eine Zigarette angeboten, und da habe ich gewußt, jetzt läßt er die Katze aus dem Sack. Seien Sie froh, lieber Freund, daß nun für Sie der Krieg, ich meine der Krieg auf der anderen Seite, vorbei ist. Sie haben doch sicher schon einmal etwas von der Aktion Freies Deutschland gehört. Sie sind Bildberichter, Sie beherrschen ihr Metier – ich schlage vor, Sie arbeiten von nun an für uns.

Ich muß gestehen, ich war ziemlich unentschlossen – im Grund genommen ist es mir wirklich wurscht, von welcher Seite ich meine Fotos schieße. Außerdem hat der Kommissar durchblicken lassen, daß ich, ginge ich nicht auf seinen Vorschlag ein, nichts Gutes zu erwarten hätte, bei aller Landsmannschaft. Anderseits habe ich damit gerechnet, daß Souvant die Russen im Morgengrauen des nächsten Tages noch einmal angreifen würde. Na, überlegen Sie sichs, hat mir der Kommissar geraten, mich auf die Schulter geklopft und zu meinen Leuten zurückgeschickt.

Wir haben von den Russen Verbandzeug für die Verwundeten und Kasaksuppe mit Brot zum Essen bekommen. Hin und her haben wir beraten, was zu tun wäre, ein russisches Gefangenenlager war ja wirklich keine allzu rosige Aussicht. Und den andern, weißt du, hat man schließlich kein Angebot, für die Gegenseite zu arbeiten, gemacht. So haben wir schließlich, vor allem auf Drängen unseres bärenstarken Fahrers, Hönig hat er geheißen, einen Ausbruchsversuch riskiert.

Wir waren, wie gesagt, in einem russischen Grabensystem, rechts der Kommandobunker, links andere Unterstände, vor uns ein Doppelposten. Die zwei Iwans, hat Hönig zu Szymaniak, einem nicht minder großen und starken Berliner, gesagt, die zwei Iwans erledigen wir mit freier Hand. Wir haben Steinchen über die Russen ins Gebüsch geworfen, die haben stoi gerufen, Hönig und Szymaniak haben sie von hinten gepackt. Dann haben wir nur mehr Gurgeln und Röcheln gehört, auch ein Knacken, das man förmlich selber im Genick gespürt hat, und sind, so schnell wir gekonnt haben, aus unserem Unterstand heraus.

Erbeutet haben wir auf diese Weise Handgranaten und Maschinenpistolen. Und genau zu der Zeit, im Osten ist schon eine graue Helle aufgekommen, hat auch der deutsche Angriff begonnen. Wir haben die Handgranaten gebündelt, abgezogen, und durch das Rauchloch des russischen Kommandobunkers geworfen. Es hat gekracht und gebrannt, wir sind, Maschinenpistolen im Anschlag, hinein, und haben, was noch am Leben war, gefangengenommen.

Nicht mehr am Leben war leider der jüdische Kommissar, aber auch die Überlebenden haben natürlich etwas abgekriegt. Rein instinktiv habe ich ein paar Fetzen noch nicht völlig verbrannten Papiers zu mir gesteckt. Später hat sich dann herausgestellt, daß sie einen wichtigen Teil des russischen Aufmarschplans enthalten haben. Und unter den Gefangenen war ein kommandierender Oberst.

Ich träumte, ich säße in einem Tigerbegleitpanzer und tippte auf der Schreibmaschine. *Wir walzen alles nieder*, schrieb ich, *wir lassen nichts hinter uns zurück, als Blut und Dreck.* Neben mir wurde einem das Gesicht weggerissen und ich schrieb darüber. Wer ist der nächste Dienstgrad, fragte eine Stimme, und dieser nächste Dienstgrad war ich.

Schmeißen sie die Schreibmaschine weg, sie übernehmen ab sofort das Kommando über den Panzer! Natürlich schmiß ich die Schreibmaschine nicht weg, sondern schrieb wie der Teufel weiter. *Wo sich was regt*, schrieb ich, *schiessen wir hin, bis sich nichts mehr regt, wo sich was erhebt*, schrieb ich, *rollen wir drüber, bis sich nichts mehr erhebt.*

Dann drehte sich alles, es gab einen Krach und gleich darauf stand ich vor dem jüdischen Kommissar. Das freut mich aber, sagte er, daß Sie da sind, ich kenne Ihren Vater. Dann bot er mir eine Zigarette an, und ich wußte, jetzt ließ er die

Katze aus dem Sack. Sie sind Schriftsteller, sagte er, ich schlage vor, Sie arbeiten von nun an für uns.

Ich dachte: im Grunde ist es mir wurscht, für welche Seite ich schreibe. Aber dann warf ich Steinchen über die Köpfe zweier Wachtposten und hörte die Geräusche, die sie von sich gaben, als ihr Genick brach. Und dann warf jemand gebündelte Handgranaten durch den Rauchabzug eines Bunkers. Und dann war ich im Bunker und sah die zerrissene Leiche des Kommissars.

Ich träumte, daß ich wieder an der Schreibmaschine säße und über das alles schriebe. Immer deutlicher klang das Klappern der Schreibmaschine wie das Rattern eines Maschinengewehrs. Mein Vater nahm sein *EK I* aus der Schublade und steckte es mir an die Brust. Ich gab mir große Mühe, aufzuwachen, aber es gelang nicht.

Jaja, sagte mein Vater im Spital, sein Gesicht war sehr scharf geworden und der Blick seiner Augen tat mir richtig weh, man träumt manchmal seltsame Sachen, Ich träume in letzter Zeit auch oft vom *EK I*, vom *EK I* träume ich und von meiner schönen, schwarzen Panzeruniform. So angezogen und dekoriert schwebe ich etwa einen halben Meter über den Köpfen der anderen durch die Straßen und Gassen meiner frühesten Jugend. Und es ist ein herrliches Gefühl, die anderen einmal nicht von unten herauf, sondern von oben herab zu sehn.

Plötzlich aber spüre ich mit Schrecken, daß meine Flugkraft nachläßt. Und so sehr ich mich bemühe, auf der Höhe zu bleiben, sinke ich doch langsam, aber sicher wieder unter die andern herab. Dann spüre ich, daß ich friere, und als ich an mir herunter sehe, merke ich, daß ich nackt bin. Und schon sind die andern im Begriff, mit spitzen Fingern auf mich zu zeigen und auf ihren Zungen liegt ganz offensichtlich das Wort Schrapp.

Im letzten Moment fällt mir ein, daß ich noch die *Kamera* habe.

Die Kamera ist das einzige, was meine Blöße bedeckt.

Sie wird mir helfen, mich gegen die andern zu wehren.

Doch als ich sie hebe, beginnen alle zu lachen ...

An einem dieser Tage, während mein Vater im Spital lag, gab ich ein Interview für den Rundfunk. Was Sie nicht sagen, freute sich der Radioreporter, Sie schreiben ein Buch über Ihren Vater? Na, das wird sicher ein überaus originelles Buch, das kann ich mir denken. Ein solches Original wie Ihren Herrn Vater gibt es nur einmal.

Wenn ich mich daran erinnere, was wir früher, auf den diversen Pressefahrten, für ein Theater mit ihm gehabt haben . . . Er war imstande, eine ganze Journalistendelegation volle drei Tage lang zum Lachen zu bringen. Mit seinen Streichen und Gags hat er sich über alles und jeden lustig gemacht, aber der Welt gleichzeitig einen Zerrspiegel vorgehalten. Sicher hat er Ihnen die Geschichte von den Parallelreportagen erzählt, die er einmal über zwei Spitzenmandatare der beiden großen Parlamentsfraktionen gemacht hat . . .

Mit der Geschichte von diesen Parallelreportagen war es mir so ergangen, wie mit den Erzählungen vom Gorillaclub: ich hatte sie lang nicht geglaubt. Oder zumindest hatte ich sie für fantasievoll übertrieben gehalten, so unwahrscheinlich war sie mir erschienen. Manchmal war mein Vater schon ein rechter Dampfplauderer gewesen, es war also nicht so abwegig, einige von den Geschichten, die er besonders gern erzählte, mit Vorbehalt zu hören. Nun aber erzählte mir der Radioreporter, zwischendurch immer wieder laut auflachend und sich auf die Schenkel schlagend, genau die Geschichte, die mir mein Vater immer wieder erzählt hatte.

Im Parlament hatte es eine Budgetdebatte gegeben, und wie immer bei solchen Gelegenheiten war es dabei zu ziemlich heißen Rededuellen gekommen. Zwei Abgeordnete – der eine sehr dick und impulsiv, der andere sehr hager und ätzend – hatten einander besonders hart attackiert. Und mein Vater war auf der Galerie gestanden und hatte die ganze Debatte durchs Tele geknipst. Und war nach Hause gefahren und hatte den Film entwickelt und hatte etwas Amüsantes entdeckt.

So verschieden die beiden Mandatare, der Dicke und der Hagere, der Impulsive und der Ätzende, rein äußerlich auch waren, so ähnlich waren ihre Posen und Mienen. Ja manche Einstellungen wirkten nicht nur ähnlich, sondern beinahe identisch. Und mein Vater vergrößerte die Fotos je zweimal und stellte sie in einer Mappe einander gegenüber. Links der Dicke, rechts der Hagere, links der Impulsive, rechts der Ätzende, einer jeweils die Karikatur des anderen.

Mit diesen Mappen fuhr er ins Parlament, setzte sich in die Milchbar und machte sich zuerst an den Dicken, Impulsiven heran. Schau einmal, sagte er, der, das erwähnte er oft und gern, mit den meisten Politikern per du war, schau einmal, was ich da hab. Und der Dicke beugte sich über die Mappe, bekam zuerst einen roten Kopf, erwies sich aber dann als ein Mann mit Selbstironie. Das ist aber pfundig, sagte er, solche Erinnerungsfotos brauch ich für meine alten Tage, was verlangst du dafür.

Mein Vater nannte seinen Preis, der Preis war astronomisch, der Dicke schnappte nach Luft. Auch gut, sagte mein Vater, wenn du die Mappe nicht willst, verkauf ich sie deinem Gegner. Und schon zog der Dicke sein Scheckbuch aus der Brusttasche und war im Begriff, den astronomischen Preis einzusetzen, da winkte mein Vater ab. Nichts für ungut, lachte er, ich schenk dir die Mappe, und du schickst mir morgen eine Flasche Whisky.

Kaum war der Dicke mit der Mappe unter dem Arm verschwunden, setzte sich mein Vater an die Seite des Hageren. Ich habe ein paar hübsche Fotos von dir gemacht, sagte er, vielleicht interessieren sie dich. Und der Hagere beugte sich über die Mappe, bekam zuerst ein weißes Gesicht, stand aber dann seinem Konkurrenten in puncto Selbstironie nicht nach. Das ist aber klassisch, sagte er, ein Familienalbum voll Meuchelfotos, so etwas hab ich mir immer schon gewünscht.

Mein Vater nannte seinen Preis, der Preis war derselbe, wie zuvor, dem Hageren stieg die Galle auf. Und wieder verwies mein Vater auf den Gegner, dem er die Mappe gegebenenfalls überlassen würde, und wieder erwies sich das als ein überaus überzeugendes Argument. Und wieder wurde ein Scheckbuch hervorgezogen und wieder winkte mein Vater lächelnd ab. Nichts für ungut, sagte er, du schickst mir morgen eine Flasche Cognac, und ich schenk dir die Mappe.

Am nächsten Tag stellte die Post meinem Vater nicht zwei Flaschen, sondern zwei Kisten mit Spirituosen zu. Beide voll von Flaschen mit roten beziehungsweise schwarzen Schleifen. Und er verfaßte je ein Dankschreiben, steckte die Dankschreiben jedoch mit voller Absicht ins jeweils falsche Couvert . . . An Ihrem Vater, sagte der Rundfunkreporter, ist ein Clown verloren gegangen, aber einer von der Sorte Eulenspiegel.

Mein Vater liegt im Sterben, sagte ich, soeben komme ich von einem Besuch bei ihm im Spital. Er muß künstlich ernährt werden, sagte ich, die Ärzte geben ihm nur mehr wenige Wochen. Machen Sie keinen schlechten Witz, sagte der Rundfunkreporter, Ihr Vater und künstlich ernährt werden müssen, das kann doch nicht wahr sein! Ihr Vater und im Sterben liegen, neinnein, Sie halten mich zum Narren, den alten Henisch bringt nichts um!

Ja, sagt die Stimme meines Vaters auf dem Tonband, den Henisch bringt nichts um, das haben meine Kameraden damals in Rußland auch geglaubt. Eins zweiundfünfzig, so niedrig fliegen die russischen Kugeln nicht, der Henisch ist kugelsicher. Und je länger ich unversehrt geblieben bin, desto ärger habe ich mich selbst in diesen verrückten Aberglauben hineingesteigert. Mit meiner Kamera in der Hand und meinem Galgenhumor in der Seele bin ich mir allmählich vorgekommen, wie der getarnte Siegfried.

So weit hat sich schließlich mein Selbstbewußtsein übersteigert, daß ich mich, je aussichtsloser die militärische Lage geworden ist, immer häufiger zu richtigen Himmelfahrtskommandos gemeldet habe. Besonders skurril ist in diesem Zusammenhang die Geschichte vom Abzug aus Orel. Da ist ein verrückter General auf den Gedanken gekommen, einen Kriegsberichter mit einem Spezialauftrag zurückzulassen. Der sollte den Einzug der Russen abwarten und, um ihnen gewissermaßen eine lange Nase zu drehen, auf dem Balkon der Kommandantur die Reichskriegsflagge hissen. Der ganze Scherz war zu fotografieren und als Krönung und Abschluß einer Reportage mit dem Titel *das Ende von Orel* zu verwenden. Diese Reportage wollte man dann in eine Mappe binden und zum Beweis des großdeutschen Heldentums nach Berlin senden. Das alles zur höheren Ehre des Generals. Befehl zum strategischen Rückzug nach Orscha erfüllt.

Natürlich, sagt mein Vater, habe ich die Reichskriegsflagge noch rechtzeitig *vor* dem Einmarsch der Russen in die Stadt gehißt. Vom General war ohnehin schon einige Stunden früher kein Schulterstück mehr zu sehn. Das Foto aber ist durch die ganze deutsche Presse gegangen. Die übrigen Bilder vom Ende der Stadt hat man nicht gebracht.

Erst auf dem Balkan, wohin wir im Herbst 1943 versetzt worden sind, habe ich, sagt die Stimme meines Vaters, diesen absurden Glauben an mich selbst verloren. Vielleicht ist das daran gelegen, daß mir das Grauen des Krieges in den schönen, romantischen Landschaften Dalmatiens, Bosniens und Montenegros noch viel krasser zu Bewußtsein gekommen ist als in öden Weiten Rußlands. Oder daran, daß dort unten wirklich der letzte Rest von heroischem Verputz abgeblättert ist von *Großdeutschlands Freiheitskrieg*, und der Cherusker in mir ist endgültig abgekratzt. Oder daran, daß *du* inzwischen geboren warst, und ich habe mich plötzlich auf eine ganz neue Weise für mich selbst verantwortlich gefühlt.

Du kannst dir gar nicht vorstellen, las ich in einem Feldpostbrief meines Vaters, den er aus Mostar an seine *kleine Mutti* geschrieben hatte, was es für mich bedeutet, mit Dir ein Kind zu haben. Dieses Kind hat uns nun endgültig und fürs ganze Leben zusammengeknüpft. Wenn ich sein Bild betrachte, wenn ich sein erstes Lächeln sehe, das ich wenigstens auf diese Weise miterlebe, dann überkommt mich eine große Rührung. Wo immer wir auch Quartier machen, zuallererst umstelle ich mich mit seinen und Deinen Bildern.
Demnächst folgt ein Päckchen mit einem Stoffhasen namens *Bambilius*, den ich auf einem hiesigen Markt für unseren Sohn erhandelt habe. Bambilius, habe ich zu ihm gesagt, du mußt jetzt nach Wien fliegen und ein bißchen warten, bis der kleine Peter mit Dir spielt . . . Über den Krieg will ich Dir nichts schreiben, bei Euch daheim bemerkt man ja hoffentlich weiterhin nicht viel davon. Wenn es allerdings kritisch wird, gehst Du mit dem Kind unbedingt irgendwohin aufs Land, das mußt Du mir versprechen.

Die Einsätze gegen die Titopartisanen, fährt die Stimme meines Vaters auf dem Tonband fort, sind gegenüber den Einsätzen, dich ich bis dahin mitgemacht habe, auch *vom fotografischen Standpunkt* etwas völlig anderes gewesen. Denn wie sich der einfache Landser hier nicht mehr auf seine

Erfahrungen aus den russischen Infanterie- und Panzerschlachten hat verlassen können, so hat auch der Kriegsberichter nicht mehr allzuviel mit seinen bisherigen Erfahrungen angefangen. Da waren keine planmäßigen Angriffe oder Rückzüge mehr durchzuführen, der Partisanenkrieg war etwas von A bis Z Unberechenbares. Die einzige Möglichkeit war, den Finger am Abzug der Kamera zu halten, das Auge so wenig als möglich vom Sucher zu lösen und auf glückliche Schnappschüsse zu warten.

Meist war es so, daß die Partisanen den Chauffeur auf dem ersten Wagen eines Einsatzkommandos mit einem wohlgezielten Schuß erledigt haben. Oder aber dieser erste Wagen ist ganz einfach auf eine Mine gefahren und in die Luft geflogen. Dann war eine Hölle von MG- und Granatwerferfeuer von allen Seiten. Und jeder Gegenstoß ist zu spät gekommen.

Sicher, die Durchkämmung eines Bazars ins Bild zu bringen oder die Gefangennahme konspirationsverdächtiger Elemente, das ist noch ein halbwegs normales Arbeiten gewesen. Aber das Gefühl, daß es jederzeit von irgendeiner Seite losknallen könne, hat einen fertiggemacht. Du brauchst eine ruhige Hand zum Fotografieren, ein ruhiges Herz. Jetzt war es schwer, die Bilder nicht zu verwackeln.

Die Partisanen haben Züge, Brücken und Munitionslager gesprengt und während der Nacht Patrouillen oder Posten mitten in den Städten überfallen. Oder sie haben eine Ortskommandantur ausgeräuchert und den Ortskommandanten auf die grausamste Weise getötet. Daraufhin hat man zum Beispiel beschlossen, erst einmal fünf oder zehn Männer des betreffenden Ortes exemplarisch zu hängen. Meist auf dem Marktplatz und mit einem Sinn und Zweck dieser Maßnahme erklärenden Schild um den Hals. Waren gerade keine SS-Spezialisten für diese Arbeit verfügbar, so hat die ohnehin schon langwierige Prozedur des Hängens noch etwas länger gedauert. Der simple Soldat war halt kein fachmännischer Henker, oft war die Schlinge zu locker oder das Seil an und für sich war nicht besonders geeignet. Die Delinquenten haben aus dem Mund geblutet, Urin und Stuhl unter sich gelassen, aber gestorben sind sie nicht. Manchmal sind die Seile infolge des langen Strampelns gerissen, und alles hat von vorn begonnen.

Hier hast du zum Beispiel das Bild eines zu den Widerstandskämpfern übergelaufenen Italieners. Du siehst, er liegt auf den Knien, jeden vorübergehenden deutschen Soldaten bettelt er um sein Leben an. Mamma mia, schreit er, den Klang seiner Stimme habe ich noch heute im Ohr, und: Dio mio! Aber alles, was dir dieses Bild heute sagt, hat man damals überhört.

Oder das Foto dieses Burschen da mit dem noch kaum sichtbaren Schnurrbartflaum . . . Wie immer knüpft ein Soldat die Schlinge, wie immer drängt er den Todgeweihten auf die darunter stehende Kiste. Aber im nächsten Moment, den ich wohlweislich nicht mehr fotografiert habe, spuckt ihm der Bursch ins Gesicht. Und wird weiter und weiter spucken, solang noch ein letzter Rest von Leben in ihm zuckt.

Natürlich hat uns das Henken bei der Bevölkerung keine besonderen Sympathien eingebracht. Immer mehr Leute sind zu den Partisanen gestoßen, und die Grausamkeit der von denen angewandten Methoden hat sich gesteigert. Ich erinnere mich an eine winzige Kirche an der bosnisch-kroatischen Grenze, in der wir die nackten Leichen guter zwanzig deutscher Soldaten und Wehrmachtshelferinnen gefunden haben. Die Frauen hat man von unten bis oben aufgeschlitzt, den Männern die Geschlechtsteile abgeschnitten und in den Mund gesteckt.

Und wie war das, fragt meine Stimme auf dem Tonband, mit dem Massaker in dem montenegrinischen Dorf, von dem du mir einmal erzählt hast? - Mit was für einem Massaker, fragt die Stimme meines Vaters, plötzlich weit weg, als wäre die Aufnahmeintensität um die Hälfte reduziert. Du hast mir doch einmal, sage ich, von einer Art von Racheaktion erzählt und dem Blutrausch, der euch bei dieser Gelegenheit alle erfaßt hat.

Racheaktion . . .? Blutrausch? - die Stimme meines Vaters hat jetzt wieder ihre gewöhnliche Lautstärke: Ich kann mich nicht erinnern.

Es ist so schön am Meer, heißt es in einem der nächsten Feldpostbriefe von der Insel Hvar. Ich lege mich auf den Rücken, und die Sonne schließt mir mit einem warmen, roten Vorhang die Augen. Ich sehe nur blaue und violette Ringe, die langsam verschwimmen. Und die Wellen schaukeln meinen Körper im Rhythmus der Brandung.

Ich möchte vergessen, alles vergessen, was sonst war und ist.

Nur eines möchte ich nicht vergessen, Roseli, und das sind die Tage mit Dir. Erinnerst Du Dich an unseren ersten und einzigen Frühling, 1938, in der Wachau? Wir sind unter einem Marillenbaum gelegen, die Blüten sind abgefallen und haben uns zugedeckt.

Er hat dich sehr geliebt, nicht wahr? fragte ich, wieder in der Küche sitzend, meine Mutter, und meine Mutter nickte. Ja, sagte sie, er hat mich immer mehr geliebt, als ich ihn, von Anfang an. Ich habe ihn schon gern gehabt, versteh mich recht, aber vielleicht war da auch ein bißchen Mitleid dabei. Wenn du mich nicht magst, Roserl, hat er einmal gesagt, meinerseel, ich geh in die Donau!

Und dann ist er im Krieg gewesen, und natürlich habe ich damals um ihn Angst gehabt. Angst, daß ihm, würde ich ihm auf irgendeine Weise wehtun, was zustoßen könnte, und ich wäre schuld daran. So haben wir geheiratet, so bist du entstanden, ich habe ihm seine Bitten einfach nicht abschlagen können. Wäre der Krieg nicht gewesen, so wäre das alles wahrscheinlich ganz anders gekommen.

Ja, sagte ich, wahrscheinlich . . . zuerst im Labor ist mir übrigens noch etwas Seltsames eingefallen. Diese Pistole im Handschuhfach seines Autos - das ist eine Gaspistole. Erst unlängst im Spital, nachdem er so viel Pulver geschluckt hat, hat er mir davon erzählt. Ich bin aber nicht ganz sicher, ob er nicht fantasiert hat.

Von einer streunenden Katze hat er da gefaselt, an der er diese Pistole erprobt haben will. Wie er sie direkt vor den Kopf geschossen hat, wie sie sich ein paarmal im Kreis gedreht hat, wie sie verendet ist. Und warum, habe ich ihn gefragt, hast du die Pistole ausgerechnet an einer Katze erprobt, du magst doch Katzen? Ich habe nur wissen wollen, hat er immer wieder gemurmelt, wie so etwas funktioniert . . .

Meine Verwundung schließlich, sagt die Stimme meines Vaters und weicht allfälligen weiteren Fragen über jenes Dorf in Montenegro in diese wieder und wieder erzählte Geschichte aus, verdanke ich dem bekannten Unternehmen *Rösselsprung*. Ich sage verdanke, denn durch diese relativ leichte Verwundung - es hat mir die Hände, mit denen ich die Kamera gehalten habe, auseinandergerissen, und kleine Granatsplitter sind mir in Kopf und Brust gedrungen - war ich dann monatelang in Sicherheit. Und während sich an allen Fronten der Zusammenbruch abgezeichnet hat, bin ich im Lazarett in Wien gelegen. Und während - in diesem vorletzten und vielleicht kritischesten Augenblick des Krieges – noch viele meiner Kriegsberichterkollegen gefallen sind, habe ich bei euch in Gmünd meinen Genesungsurlaub verbracht.

Auf einen Urlaub hin habe ich übrigens schon den ganzen Mai 44 hindurch gelebt. Ich habe die Tage bis zu seinem Antritt gezählt, es ist mir nur mehr darum gegangen, die Zeit bis zu diesem Urlaub möglichst unauffällig zu verbringen. In einem Nest namens Skradin haben mein Fahrer und ich auf einer Reportage über den deutschen Nachschub eine Reifenpanne gehabt. Vier Tage lang haben wir repariert und die Landschaft fotografiert, doch schließlich hat man uns entdeckt.

Und dann dieser Einsatz . . . es ist darum gegangen, Titos damaliges Hauptquartier Dvar in Bosnien ausgerechnet an seinem Geburtstag durch eine gemeinsame Operation von Bodentruppen und Fallschirmjägern auszuheben. Das habe ich allerdings vorerst noch nicht gewußt, die Sache war streng geheim, man hat mir sämtliche Dienstzeichen sowie meine Erkennungsmarke abgenommen und mich auf einen Flugplatz in der Nähe von Agram gebracht. Dort hat mich ein Mann erwartet, der ebenfalls keine Dienstzeichen getragen und sich mit freundlichem Grinsen als Emil vorgestellt hat. Sag einfach Emil zu mir, grinst er, mir die Hand entgegenstreckend – er war, wie ich später erfahren habe, ein Oberstleutnant.

Also Walter, sagt er, hör zu, wir haben eine Aufgabe für dich. Hast dich doch, wie man hört, in Rußland als Teufelsreporter erwiesen. Bist sicherlich froh, daß es wieder mal hart auf hart geht. Also Walter, bist du schon mal gesprungen?

Im ersten Moment habe ich gar nicht begriffen, was mit Springen gemeint war. Ich habe – trotz Flugplatz – an Pferde, Stabhochsprung oder sonst irgendeinen Blödsinn gedacht. Wie gesprungen? – Na von oben runter, aus dem Flugzeug! – Ne? Na das macht nichts. Wirst es sicherlich schaffen!

Und schon sitze ich mit einer Gruppe von Kerlen, die sich dann als SS-Bewährungseinheit entpuppt, im Flugzeug. Ein verschlossenes Couvert mit der genauen Definition meiner Aufgabe in der Hand. Befehlsgemäß reiße ich es fünf Minuten nach dem Start auf und erfahre, was mich erwartet. Man beruhigt mich, indem man mir sagt, daß sich mein Fallschirm automatisch öffnen würde, und gibt mir Schnaps.

Und schon stehe ich an der windigen Luke, bekomme einen Tritt in den Hintern und falle. Nun hat eine Stukastaffel den Ort, schon bevor wir gekommen sind, zu Brei gemacht. Trotzdem wird, kaum daß sich mein Fallschirm geöffnet hat, von unten geschossen. Ich fotografiere und sehe schon meine Bilder unter dem Titel *seine letzten Fotos* in der deutschen Presse.

Merkwürdigerweise komme ich einigermaßen lebendig unten an. In den Kukuruz fallen, den Fallschirm laut Erklärung lösen und ins Feld vorstürmen ist eins. Aufgabe der Einheit ist, keine Gefangenen zu machen, niemand zu schonen, Partisanennest zu stürmen. Und wie die SS sowas gemacht hat, das brauche ich dir wohl nicht detailliert zu schildern.

Ich fotografiere also dieses Inferno, meinen zweifelhaften Ruf als Teufelsreporter verfluchend, da sehe ich plötzlich, an die Wand eines zerschossenen Hauses gelehnt, zwei Männer mit Kameras in der Hand. Und ich denke: nanu, ich habe doch geglaubt, ich bin allein hier, wer sind denn die beiden? Und die SS-Schergen stürmen auf sie zu, da wird mir schlagartig klar, wer die beiden sind. Kriegsberichter wie ich – von der anderen Seite.

Nun haben wir Kriegsberichter, wie ich dir ja schon erzählt habe, in unserem Arbeitsbereich eine gewisse Befehlsgewalt gehabt. Ich habe also mein Glück versucht und den SS-Schlächtern zugerufen: halt, nicht schießen! Und unerwarteterweise haben sie auf meinen Zuruf reagiert und mir meinen Kram überlassen. Und ich bin auf die beiden zugegangen, und sie haben weiter fotografiert, bis ich ganz nah war.

Dann senkt der größere, ein rotblonder, schnurrbärtiger Bursche die Kamera und sagt in aller Seelenruhe: Hello, colleague, how are you? Und der kleinere, ein Mopsgesicht mit Brille, lächelt mich an, zuckt die Achseln und sagt: We are british war-correspondents! - Nun waren gegnerische Propagandisten laut Vorschrift *zu Verhörszwecken* in Gewahrsam zu nehmen. Im Augenblick aber war ohnehin keine Zeit für ein Verhör, und das in Gewahrsamnehmen habe vorläufig ich besorgt.

Ich befehle den beiden Gorillas, die sofort nach der Landung zu mir gestoßen sind, die zwei zu entwaffnen und an meiner Seite zu halten. Und für die nächste halbe Stunde vollziehen die zwei Engländer buchstäblich jede meiner Bewegungen nach. Aufspringen, decken, lauern - nur knipsen dürfen sie nicht. Die Kameras habe ich gleich beschlagnahmen lassen.

Wir werden dann auf einen Friedhof zurückgedrängt, wo wir uns, so gut es geht, hinter einer niedrigen Mauer aus rohen Steinen verschanzen. Der Kampf mit den Partisanen, die uns von den umliegenden Anhöhen her mit Granatwerferfeuer belegen, ist ungemein hart. Vor uns liegt ein schweres MG, das in eine Art von Duell mit einem schweren Granatwerfer verwickelt ist. Und die beiden Engländer kauern hinter mir und beobachten mit offensichtlichem Interesse meine Arbeit.

Nun unterschätzt der Granatwerfer die Entfernung des Maschinengewehrs und schießt beharrlich zehn bis fünfzehn Meter zu kurz. Das gibt bei der trockenen, steinigen Bodenbeschaffenheit immer eine überaus fotogene Explosion. Und der größere Engländer tippt mir auf die Schulter und sagt: Well, go on, this is a good picture! Und in diesem Moment entdecke ich meine lange verdrängte brutale Neugier wieder und schwinge mich über die Mauer.

Also ich robbe vor und lege mich in der fotografisch geeignetsten Position hinters MG. Und das erste Bild klappt auch tatsächlich fantastisch, MG-Silhouette im Vordergrund, gigantischer Einschlag! Und dann folgt der nächste Schuß, und ich höre schon, jetzt hat der Scheißgranatwerfer die richtige Entfernung. Und dann habe ich das Gefühl, der gigantische Einschlag erfolgt direkt in meinem Kopf, und dann ist alles vorbei . . .

Ich komme erst wieder zu mir, als ich spüre, daß mich jemand an den Beinen rückwärts schleift. Schweres Granatwerferfeuer prasselt auf uns nieder. Und dann begreife ich, daß mich jemand über die Friedhofsmauer zieht. Und in meinem Halbbewußtsein sehe ich verschwommen das Gesicht des rotblonden Engländers. I'm sorry, beteuert er unausgesetzt, I'm sorry! Ich aber denke nur daran, daß die Kamera und mit ihr der Film beim Teufel ist. I cannot work, murmle ich immer wieder, I cannot work. Da spüre ich, wie mir der Engländer die Ersatzleica von der Schulter streift.

I work für you, sagt er, während mir der Sanitäter eine

Morphiumspritze gibt. Und tatsächlich fotografiert er, während ich im Morphiumrausch liege, für mich. Fotografiert den ganzen weiteren Ablauf des letzten Endes mißlungenen Unternehmens. Fotografiert die Bilder, die später unter meinem Namen in allen deutschen Zeitungen erscheinen.

Ist das eine wahre Geschichte, fragt der kleine Peter, und sein Vater sagt, ja, das ist eine wahre Geschichte. Wie ich später wieder aufgewacht bin, waren die englischen Kriegsberichter weg, aber die Kamera war da. Und was, fragt der große Peter, ist mit den englischen Kriegsberichtern passiert? Die hat man, sagt die Stimme meines Vaters, wahrscheinlich ins KZ gebracht.

Ich träumte, ich saß mit einer SS-Bewährungseinheit in einem Flugzeug. Saß im Flugzeug und hielt ein verschlossenes Couvert mit der genauen Definition meiner Aufgabe in der Hand. Fünf Minuten nach dem Start riß ich das Couvert befehlsgemäß auf und erfuhr: Ich habe die Gefangennahme Titos zu kommentieren. Dein Fallschirm, beruhigte man mich, wird sich automatisch öffnen, und gab mir Schnaps.

Und schon stand ich an der windigen Luke, bekam einen Tritt in den Hintern und fiel. Unter mir hatte eine Stukastaffel den Ort schon, bevor wir gekommen waren, *zu Brei gemacht*. Trotzdem wurde, kaum hatte sich mein Fallschirm geöffnet, von unten auf mich geschossen. Ich sprach aufs Tonband und sah schon einen Artikel mit dem Titel *seine letzten Worte* in der Zeitung. Merkwürdigerweise kam ich einigermaßen lebendig unten an. In den Kukuruz fallen, den Fallschirm laut Erklärung lösen und ins Feld vorstürmen war eins. Aufgabe der Einheit, sprach ich ins Mikrofon, ist *keine Gefangenen zu machen, Partisanennest zu stürmen, niemand zu schonen. Und wie die SS sowas macht, das brauche ich Ihnen wohl nicht detailliert zu schildern.*

Ich kommentierte also dieses Inferno in meiner bewährten Manier. Da sah ich plötzlich, an die Wand eines zerschossenen Hauses gelehnt, zwei Männer mit Tonbandgeräten. Glad to see you, sagte der eine, ein rotblonder, schnurrbärtiger Kerl, und senkte sein Mikrofon. Und der andere, ein Mopsgesicht mit Brille, lächelte, zuckte die Achseln und sagte: We know your father!

Und dann lagen wir hinter der Friedhofsmauer, und der größere Engländer tippte mir auf die Schulter und sagte: Well, go on, this is a good story! Und ich robbte vor und legte mich ganz knapp hinters MG, um das Sterben der Besatzung genauer zu sehen. Und es klappte tatsächlich fantastisch: Meine Sätze waren ungemein wirklichkeitsnah. Aber dann folgte der nächste Schuß und ich hörte schon: Jetzt hat der Scheißgranatwerfer die richtige Entfernung.

Lieber Papa, schrieb ich, nein, ich will nicht so werden, wie Du geworden bist. Ich will nicht so sein, wie Du warst, obwohl ich dich begreife. Hinter einem andern her begegnet man sich selbst – mag sein, aber hoffentlich nicht nur im Sinn einer unausweichlichen Identität. Ich will aus Deiner Spur ausscheren, verstehst Du, was Du mir vorgelebt hast, mag ich nicht nachleben.

Du hast Glück, höre ich Dich jetzt sagen, daß Du um dreißig Jahre später geboren bist. Viele von denen, die heute auf der linken Seite mitrennen, wären damals auf der rechten mitgerannt. Was hättest denn Du, höre ich Dich fragen, an *meiner* Stelle getan? Die jungen Leute können immer nur die alten kritisieren, aber besser machen können sie nichts.

Aber es geht nicht, glaube ich, ums Mitrennen, – das Mitrennen, auf welcher Seite immer, ist, sofern es sich wirklich um bloßes Mitrennen handelt, nicht Bedingung, sondern Konsequenz. Bedingung aber ist eine Grundhaltung, und in Deinem, aber vielleicht nicht nur in Deinem Fall, ist diese Grundhaltung eine Art von Positivismus. Nicht bloß im philosophischen, sondern durchaus auch im fotografischen Sinn, der Dir wahrscheinlich weitaus mehr sagt. Jedes Negativ wird letzten Endes zum Positiv, alles ist Material mit der einzigen Ausnahme des eigenen Todes.

Das Leben endet meistens mit dem Tod und das gibt verflucht vielen Menschen die Kraft, es möglichst lange auszuhalten. – Diesen Satz habe ich unlängst gefunden, in einer Broschüre über Stilblüten aus der Schule, und er hat mir gefallen. Er wäre ein guter Satz für *Franz*, den Helden eines inzwischen abgebrochenen Textes mit dem Titel *Bali* gewesen. Aber wie die meisten guten Sätze für *Franz* ist auch dieser Satz ein guter Satz für Dich und mich.

Denn vielleicht ist gerade dieser eigene Tod der Punkt

Omega, von dem her und auf den hin all unser Fotografieren und Schreiben bestimmt ist. Als ein ebenso heroischer wie absurder Versuch einerseits, etwas festzuhalten, das sich nicht festhalten läßt. Als ein Versuch anderseits, das Gefühl von uns abzuschirmen, daß wir unausweichlich auf diesen Punkt Omega zutreiben. Machen wir aus unserem Leben zum Tode eine Fotoserie, eine Geschichte, so stehen wir immer mit einem Fuß im Zuschauerraum.

– Weißt du, hast Du mir bei meinem letzten Besuch im Spital gesagt, allmählich fange ich an, meine Krankheit interessant zu finden. Die Schmerzen, die Injektionen, die Auswirkungen der Medikamente, das alles beobachte ich mit einem von Tag zu Tag wachsenden Interesse. Unlängst hat mich der Professor mit einem Spiegeldiaskop in meinen eigenen Magen schauen lassen. Da drin sieht es großartig aus – wie in einer Tropfsteinhöhle .. *Stalachte,*

Ja, Papa, wir sind listig, wir zwei, aber vor lauter List, kommt mir vor, überlisten wir uns auch selbst. Denn was wir auf der einen Seite an Distanz gewinnen, verlieren wir auf der anderen Seite an Spontaneität. Zumindest mir geht es so, nicht von ungefähr war lange Zeit Hamlet meine bevorzugte Identifikationsfigur. Und auch heute noch habe ich häufig den Eindruck, ein wenig auf Kosten meines eigenen Lebens zu schreiben. – Einerseits ist diese Grundhaltung also Bedingung, anderseits aber ist sie wahrscheinlich erst recht Konsequenz. Die meisten leben, kommt mir vor, in dieser Grundhaltung, die meisten haben, glaube ich, Angst, aber nicht bei jedem ist sie so effektiv. Woher diese Effektivität bei Dir stammt, dafür habe ich, scheint mir, ein paar Indizien gefunden, aber woher stammt sie bei mir? – Ich muß mich, glaube ich, aus *deiner* Geschichte heraus schreiben, mich *deiner* Geschichte gegenüber emanzipieren, um die *meine* zu finden.

I

Als ich am nächsten Samstag zu meinem Vater in den Kran-
kensaal wollte, nahm mich der Professor, der, am Eingang
stehend, anscheinend auf mich gewartet hatte, beiseite. Kommen Sie, sagte er, einen Augenblick zu mir in mein Zimmer,
ich habe mit Ihnen zu reden. Ich spürte, wie mir eine Gänsehaut über den Rücken lief und empfand diese Reaktion,
während ich durch die vor mir geöffnete Tür vorausging, als
irgendwie deplaciert. Aber mein Versuch, dieser Empfin-
dung auf den Grund zu gehen, wurde im Keim erstickt.
Ihr Vater, sagte der Professor, während er mir mit einer
beinahe unwirschen Geste einen Stuhl anbot, hat in der Nacht
einen neuen Blutsturz gehabt. Wir haben ihm eine Tampon-
sonde in den Magen eingeführt, er hat sie sich mit Gewalt
wieder herausgerissen. Jetzt frage ich Sie: will sich dieser
Mensch umbringen? – die Überlebenschance ist gering. Demonstrativ hielt er den verschmähten Tampon hoch, das
Ding sah aus wie ein gebrauchtes Präservativ.
Der Magen Ihres Vaters reagiert auf die verhärtete Leber mit
einer Art von Krampfadern. Diese Krampfadern übernehmen ersatzweise die Leberfunktion. Wenn es ihnen zuviel
wird, platzen sie auf, dann spuckt Ihr Vater Blut. Das einzige,
was wir in solchen Fällen tun können, ist die Blutung zu
stillen.
Wir führen also dem Patienten diesen Tampon ein und blasen
ihn in seinem Magen auf. Damit ist es jetzt vorbei, wenn sich
die Wunden in seinem Inneren nicht von selber schließen,
geht Ihr Vater drauf. Wie er übrigens den Tampon durch die
Speiseröhre hochgekriegt hat, ist mir ehrlich gesagt ein
Rätsel. Jedenfalls ist uns soetwas, solange wir diese Methode
anwenden, noch nie passiert.
Dann stand ich vor dem Bett meines Vaters; er hielt die
Augen geschlossen, sein Gesicht hatte eine befremdliche
Farbe zwischen Gelb und Violett. Er schläft, sagte meine
Mutter und schneuzte sich, er hat eine Menge Injektionen
gekriegt, er ist völlig erschöpft. Wie kann man sich nur,

fragte meine Großmutter, und in ihrer Stimme schwang ein Unterton von Empörung, eine Sonde herausreißen, die einem der *Professor* einführt! Ich war dreißig Jahre Krankenschwester, aber davon habe ich nie gehört.

Ich hatte den Eindruck, daß mein Vater gar nicht schlief, sondern die Augen mit Absicht zuließ. Habt Ihr das Labyrinth gesehen, fragte er, plötzlich die Augen öffnend, das ins Zentrum führt? Was für ein Labyrinth, fragte meine Großmutter, aber mein Vater schüttelte nur lächelnd den Kopf. Irgend etwas stimmt nicht, sagte er, mit der Zeit.

Wie um seine Worte zu bekräftigen, nahm er die Uhr vom Handgelenk und drehte die Zeiger rückwärts. Dieser bosnische Bergkessel, sagte er, immer wieder dieser bosnische Bergkessel. Ja, ja, dieser bosnische Bergkessel, von dem *come* träume ich immer wieder. Aber in meinen Träumen ist der Kampf vorbei, und rundherum ist nur Himmel und tiefe Stille.

Und die Friedhofsmauer, hinter der sie mich verarztet haben, ist viel höher, als in Wirklichkeit. Und ich stehe außen davor, statt dahinter zu liegen, und sehe nicht drüber. Und ich denke, ich kann ja auch gar nicht drüber sehn, ich kann ja überhaupt nichts mehr sehn. Denn der Scheißgranatwerfer hat die Entfernung endlich richtig erfaßt, und in meinen Augen ist nichts mehr, als Dreck, Blut, Schmerz, Rot und Tod . . . Aber dann merke ich, daß ich, obwohl ich ja eigentlich gar nichts mehr sehen kann, viel klarer sehe, als je zuvor. Und ich sehe die Friedhofsmauer vor mir und denke, was mag wohl dahinter sein. Und obwohl ich ein wenig Angst vor der Mauer habe, läßt mich diese Frage nicht los. Und dann fasse ich mir ein Herz und klettere hinauf.

Aber als ich oben angelangt bin, fällt mir ein, ich habe ja die Kamera vergessen! Die Kamera – sie muß noch immer dort liegen, wo sie mir aus der Hand geschossen worden ist. Und ich klettere zurück, und wirklich, dort liegt sie noch immer – unversehrt! Und ich hebe sie auf, hänge sie um und klettere über die Mauer . . . *unscathed* .

Und dann, sagte mein Vater, träume ich manchmal von meiner Heimkehr. Da komme ich endlich aus der Gefangenschaft zurück und fahre das letzte Stück in einem Zug. Und überlasse, obwohl ich hundemüde bin, meinen Platz einem jungen Mädchen. Und setze mich zu ihren Füßen und während der Fahrt sinkt mein Kopf gegen ihre Knie. Und dann, ich wache irgendwo auf der Strecke auf, ist Nacht, und ich weiß momentan nicht, wo ich bin. Und dann begreife ich, ich sitze im Zug, aber die Fahrtrichtung ist mir vollkommen unklar. Und da sind die Hände des Mädchens, die streicheln meine Haare, und da ist der Schoß des Mädchens. Und bis zum Morgen lasse ich meinen Kopf zwischen ihren Beinen . . .

Hast du, fragte mein Vater, plötzlich wieder zurück in der Gegenwart, an die Redaktion geschrieben? – Ich dachte vorerst, er verwechsle mich mit meinem bei der *Arbeiterzeitung* beschäftigten Bruder. Das hat er auch geträumt, sagte meine Mutter, aber mein Vater protestierte. Du hast doch geschrieben, Peter, du wirst doch schreiben? –

Diesen Artikel, sagte er, wirst du doch schreiben. Du schreibst doch diesen Artikel da über mich? –

Endlich begriff ich, was er meinte: das Buch. Er gebrauchte das Wort Redaktion statt Verlag.

Ja, ich habe an den Verlag geschrieben. Sie bringen das Buch. Ich bin bald fertig damit.

Ausgezeichnet, sagte mein Vater, das freut mich. Nur eins ist mir unklar: das Ende. Wie soll es denn enden?

Ich wich dieser Frage aus. Das weiß ich noch nicht.

Mein Vater sagte: Hoffentlich nicht im Spital . . .?

Also, sagte ich, schau daß du wieder gesund wirst.

Mein Vater sah mich beinahe ironisch an.

Kennst du den Witz von dem kleinen Juden im Stadtpark . . .? Eine Amsel scheißt ihm genau auf den Hut. Der Jud nimmt den Hut herunter und putzt ihn ab. Und für die Gojim, fragt er die Amsel, singst du?

Diese Nacht träumte ich, ich habe jemanden umgebracht, aber ich wußte nicht wen. Ich hatte sein Gehirn in ein Taschentuch eingeschlagen und suchte einen geeigneten Platz im Spitalsgarten, um es zu vergraben. Später hatte ich Angst, wegen irgendeiner Kleinigkeit, etwa dem Betreten und Verunreinigen eines eingezäunten Blumenbeets verhaftet zu werden und mich zu verraten. Ich befürchtete ein Todesurteil, obwohl ich mir mit einer seltsam von mir selbst entfernten Stimme immer wieder vorsagte, daß die Todesstrafe abgeschafft sei.

Als ich aufwachte, fiel mir ein Film ein, den ich vor Jahren gesehen hatte. Ein Professor hatte eine Methode entwickelt, die Köpfe und damit die Gehirne unheilbar an Krankheiten des Leibes leidender Patienten auf die Körper an Krankheiten des Kopfes Verstorbener zu transplantieren. Ein Assistent trennte den Kopf des seinerseits todgeweihten Professors ab, schloß ihn an diverse Drähte und Sonden an, dachte aber nicht daran, die Transplantation zu vollenden. Er hielt den Kopf, wie er war, am Leben, weidete sich sogar an seiner körperlosen Hilflosigkeit und machte sich den enormen Geist des Professors zunutze.

Nach diesem Traum war es mir einfach unmöglich, an der Geschichte meines Vaters weiterzuschreiben. Ebenso unmöglich aber war es mir, mich für einige Zeit mit etwas anderem zu beschäftigen und die Geschichte meines Vaters zu vergessen. Ich saß da und hörte die noch unverarbeiteten Tonbänder, brachte aber nicht die Energie oder den Mut auf, mich an die Schreibmaschine zu setzen. Nur einige der Bilder, die mir mein Vater noch bevor er wieder ins Spital gebracht worden war zur Verfügung gestellt hatte, betrachtete ich immer wieder.

Er hatte die Fotos aus den letzten Jahren obenauf gelegt (Bundeskanzler auf Wahlreise, Maikundgebung auf dem Rathausplatz), dann folgte eine Lage aus der Wiederaufbauzeit (Neueröffnung der Oper, Reparatur des Stefansdoms) und eine weitere aus den Besatzungsjahren (Wachablöse vor dem Burgtor, die Vier im Jeep). Die Fotos aber, in die zu versinken ich wie ehemals als Kind gleichzeitig Angst und Verlockung empfand, bildeten die unterste und stärkste Schicht. Schließlich saß ich, umgeben von Bildern, in der Mitte des Zimmers auf dem Boden und hatte die jüngeren mit den älteren zugedeckt.

Gefesselt von einem dieser Bilder – es zeigte die Ladefläche eines Lastwagens, darauf verschiedene chaotisch durcheinandergeworfene Wehrmachtsausrüstungsgegenstände, so Menagegeschirr und Wasserkanister, an der linken Bordwand aber einen verbrannten Menschen mit merkwürdig brusteinwärts gekrampften Händen und aufgerissenem Mund – beim Betrachten dieses Bildes hörte ich zum ersten Mal seit vielleicht fünfzehn Jahren wieder jene bis zur Unerträglichkeit anschwellende schrille Musik, die ich aus meiner Kindheit kannte. Und als ich mich auf die Couch legte und die Augen schloß, um ein wenig auszuspannen, hatte ich den Eindruck, ich fiele in einen tiefen Schacht. *Schaft.*

Dann mußte ich plötzlich an meinen Vater denken, schrak auf und rief meine Mutter an. Während der Nacht, sagte sie, haben sie ihn hinaus auf den Gang gelegt, du weißt, was das heißt. Ja, sagte ich, hoffen wir das Beste, und wurde mir erst als ich abgehängt hatte der seltsamen Unbestimmtheit dieser Phrase bewußt. Ich hatte einen schlechten Geschmack im Mund und trank mehrere Gläser Wasser, um ihn hinunterzuspülen.

Als ich am nächsten Tag ins Spital kam, erschien mir der Gang, der zum Zimmer meines Vaters führte, noch länger als sonst, und der Weg an sein im hintersten Winkel des weitläufigen Raumes stehendes Bett war ein wahrer Spießrutenlauf. Die Blicke der anderen Patienten kamen mir verdächtig mitleidsvoll vor, das Gemurmel, das in der stickigen Luft lag, klang wie Beileidsgemurmel, ich spürte, wie unter meinen Achseln der Schweiß rann. Als ich endlich vor dem Bett stand, über dem seine Namenstafel angebracht war, konnte ich keine Spur von meinem Vater entdecken und schaute mich hilfesuchend nach einer Schwester um. Da richtete er sich plötzlich wie ein Stehaufmännchen aus dem Bettzeug auf, streckte mir die Hand entgegen und grinste mich an.

Wie geht es, fragte er, unserem Buch, wann schreibst du es fertig? Ich hoffe du wartest nicht auf einen tragischen Schluß. Der Tod des Helden, sicher, das wäre effektvoll. Aber diese Freude mache ich dir nicht.

Weißt du, ich war schon ziemlich nahe daran. Dort draußen im Korridor unter der Neonlampe. Alles um diese Lampe ist schwarz geworden. Zuletzt auch das Licht der Lampe. Ein schwarzes Licht! Aber ich hab es nicht akzeptiert, verstehst du. Ich hab meine Augen einfach nicht zugemacht. Aus einer Art von Justamentstandpunkt wahrscheinlich. So hab ich die Krisis glatt hinter mich gebracht.

Ich ging durch den Spitalsgarten und hatte absolut keine Lust, nach Hause zu gehen. Nein, dachte ich, nein, ich will nicht wieder in die Geschichte meines Vaters geraten. Ich ging die paar Schritte zum Taxistandplatz, nahm mir ein Taxi und fuhr in den Prater. Nein, dachte ich, nein, ich will nicht wieder in die Bilder meines Vaters fallen.

Aber schon als ich in der Nähe des Riesenrads ausstieg, war ich auf halbem Weg in meine Kindheit. Und als ich an der vor kurzem ausgebrannten Automatenhalle vorbeikam, war ich vollends drin. Damals hatte der ganze Prater so ausgesehen, nur zögernd hatten die Schausteller hier und da wieder aufgebaut. Und meine Großmutter hatte mich zwischen den Skeletten der Buden und Ringelspiele spazieren geführt.

Da ist der Kalifati gestanden, hatte sie dann zum Beispiel gesagt, und dort die Fortuna. Und hier drüben war die alte Grottenbahn, die war vielleicht schön! – Oma, hatte ich dann manchmal gefragt, wer hat denn das alles kaputtgemacht? Und sie hatte geantwortet: Das alles kaputtgemacht hat uns der böse Feind.

Ich stellte mir den bösen Feind so ähnlich wie den Sandmann vor. Nur viel, viel größer. Er hockte grau auf den Dächern. In der Hand aber hielt er eine Bombe, die er, je nach Laune, auf Ringelspiele oder Wohnhäuser warf. Auch das Haus, in dem wir wohnten, hatte er mitten entzweigeschlagen.

Im Schutt zwischen den zerbombten Ringelspielen spielte ich Sand. Bumstinazi der staubt! rief ein anderes Kind. Das war ein komisches Wort. Was heißt Nazi, Oma? – Komm, wir gehen, das verstehst du noch nicht.

Ein anders Mal musterte ein etwas älteres Mädchen meine dunklen Haare. Judenbub, feixte es, dreckiger Judenbub! Aber Hedwig, mißbilligte ihre Mutter, das sagt man doch nicht mehr! Ich aber fragte: Oma, was heißt Jud? und bekam keine Antwort.

Dieselben Fragen hatte ich ein, zwei Jahre später, wieder im Prater, meinem Vater gestellt. Er hatte mir eine Kamera zum sechsten Geburtstag geschenkt und erklärte mir die Grundbegriffe des Fotografierens. Also bei Sonne, hatte er gesagt, nimmst du Blende 11 und 1/100, du kannst aber auch Blende 22 und 1/50 nehmen, verstehst du? Was ein Jud ist, was ein Nazi, du meine Güte. Wie soll ich dir das erklären?

Dein Papa zum Beispiel ist für manche das eine, für manche das andere gewesen. Obwohl er eigentlich keins von beidem war. Aber das ist jetzt vorbei und spielt keine Rolle mehr. Probier doch einmal ein Foto vom Autodrom . . .

Wo damals ein Autodrom gewesen war, gab es jetzt eine Gokart-Bahn. Ich setze mich in ein Gokart, zahlte zehn Schilling, klemmte meinen Fuß gegens Gas und ließ bis zum Schluß nicht locker. Ringelspiele, die einen einfach herumschleudern, dachte ich während des Fahrens, kann ich nicht leiden. Mit einem Gokart dagegen führe ich mir am liebsten selber davon.

Ja, sagt mein Vater, mit Ressentiments habe ich immer zu kämpfen gehabt. Vor dem Krieg wäre ich um ein Haar ein Jud gewesen, nach dem Krieg hat es geheißen, ich war ein Nazi. – Henisch, Henisch? Sie waren doch Kriegsberichter! Sozusagen die rechte Hand des Herrn Goebbels . . .

Mit diesen Worten hat man mich beim neugegründeten Syndikat der Pressefotografen abgewiesen. Das war 1946, man hat die Pressefotografie zum gebundenen Gewerbe erklärt. Auch gut, habe ich mir gedacht, und bin zur *Weltillustrierten*, einer von den Russen bezahlen Wochenzeitung. Das hat mir dann später wieder den Vorwurf eingebracht, ich sei Kommunist.

Und dabei war ich keins von allen dreien – über meine Abstammung habe ich lange Zeit nichts gewußt. Und was ich nicht weiß, das macht mich nicht heiß, für so etwas fühle ich mich doch nicht verantwortlich! In der *NSDAP* gewesen bin ich nie, obwohl mir das eine geraume Weile kein Mensch geglaubt hat. Ich war in der Hitlerjugend und dann bei der deutschen Wehrmacht, aber das war schon alles. Der *KPÖ* schließlich bin ich erst recht nicht beigetreten. Obwohl ich zugeben muß: Gleich nach dem Krieg waren die Kommunisten mir gegenüber am fairsten. Oder genauer gesagt: die Russen, denn Arbeit gegeben haben mir zuallererst die sowjetischen Besatzer. Aber mit den Russen habe ich mich ja gleich vom Jahre Null an recht gut verstanden.

Unsere Wohnung war ausgebombt, ich habe, aus der Gefangenschaft zurückgekehrt, keine andere Wahl gehabt, als mit deiner Mutter und dir bei der Oma in der Heumühlgasse zu bleiben. Du hast aus dem Bett deiner Mutter – mein Gott, habe ich, nach fast einem Jahr totaler Trennung, wieder zur Tür herein, gedacht, was habe ich doch für eine wunderschöne Frau – aus dem Bett deiner Mutter also hast du ins

Gitterbett müssen, und die Großmutter hat sich in der Küche gefrettet. Aber bei allen durch die räumliche und menschliche Enge bedingten Nachteilen war da auch ein entscheidender Vorteil. Ist man aus dem Haustor getreten, so ist man nur zweimal umgefallen und war schon auf dem Naschmarkt.

Der Naschmarkt aber war das Wiener Schleichhandelszentrum. Ich habe noch eine Menge Fotomaterial – alte Platten, Filme, Entwickler, Fixierer – bei deiner Großmutter liegen gehabt, das war mein Grundkapital. Die Russen sind auf alles geflogen, was ihnen halbwegs technisch erschienen ist, und waren somit meine natürlichen Hauptabnehmer. Und ich habe meine paar Dutzend auf dem Hin- und Retourweg Wien–Moskau aufgeschnappten Vokabeln zusammengekratzt und mein Handelstalent entfaltet.

Ein semmelblonder Ukrainer zum Beispiel ist auf Platten gestanden, obwohl er wahrscheinlich gar keine Kamera gehabt hat. Aber das war ja schließlich nicht mein Problem, seine zehn Platten hat er für ein Kilo Mehl bekommen. Und einem schlitzäugigen Kirgisen habe ich fünf Leicafilme für zwei Kilo Schmalz angedreht. Daß er sie auf der Stelle abgespult und gegens Sonnenlicht gehalten hat, war sein Privatspaß.

Vom Schleichhandel auf dem Naschmarkt haben wir eine Zeitlang ganz gut gelebt. Aber ich wäre nicht der gewesen, der ich bin, hätte ich nicht einen Teil des Profits in eine Kamera investiert. Ebensowenig wäre ich der, der ich bin gewesen, hätte das dunkle Treiben zwischen den Buden nicht mein fotografisches Auge gereizt. Aber das zu fotografieren, war gar nicht so einfach.

Die Russen waren, das müssen auch ihre Freunde, zu denen ich, wie du siehst, gestoßen bin, zugeben, ein unberechenbarer Schlag. In diesem Augenblick noch Kamerad und Brüderchen, im nächsten schon Faschist und Spion, eine gewisse Vorsicht war da immer am Platz. Ich habe also nicht einfach hingehen, die Kamera zücken und knipsen können, das hätte mir wahrscheinlich noch ein paar russische Winter eingebracht. Was ich gebraucht habe, war ein wirksamer Trick, darüber habe ich tage- und wochenlang gegrübelt.

Und dann eines Nachts ist mir ein guter Gedanke gekommen, den habe ich gleich am nächsten Morgen zu realisieren versucht. Noch heute habe ich oft bei Nacht die besten Ideen, sehe ich kurz vor dem Einschlafen meine besten Bilder vor mir. Ich bin also früh am Morgen schon aus dem Haus und habe zuerst einmal eine alte Box Tengor erhandelt. Mit der bin ich dann an meine übliche Naschmarkt-Ecke: Kamera extra gut . . . Eins A-Modell . . .

Nicht lang, so hat sich ein Interessent gefunden:

Wieviel, Dowarisch . . .?

Zehn Eier . . . zwei Kilo Mehl . . .

Karascho.

Aber Apparat kompliziert . . .!

Macht nix, Dowarisch . . . du zeigen, wie funktioniert!

Was soll ich dir sagen: es ist alles genau so gekommen, wie ich es mir in der vorangegangenen Nacht vorgestellt hatte. Um zu zeigen, wie die Kamera funktioniert, habe ich den Russen fotografieren müssen. Als ich am nächsten Tag mit den fertigen Fotos aufgekreuzt bin, war er schwer begeistert. Du Spezialist! hat er immer wieder beteuert.

Und dann hat sich alles genau so entwickelt, wie es sich schon ein paar Mal im Lauf meiner fotografischen Laufbahn entwickelt gehabt hat. Die Menschen, egal welcher Nationalität, sind eitel, und der Ruf eines Porträtfotografen verbreitet sich rasch. Bald habe ich mir im Kohlenkeller ein Laboratorium eingerichtet und die Russen im Hof zwischen hübsch arrangierten Schusterpalmen fotografiert. Und die Herrschaften haben gut bezahlt, eines Tages ist ein Major gekommen, der hat uns ein ganzes noch nicht völlig ausgeblutetes Schaf vor die Tür gelegt.

In den nächsten Tagen besserte sich der Zustand meines Vaters zusehends, ich aber hatte noch immer die größten Schwierigkeiten, versuchte ich, den Text über ihn fortzusetzen. Ich spannte ein Blatt Papier in die Schreibmaschine, saß endlos lang darüber, ohne auch nur einen Buchstaben zu tippen und hatte, standen endlich zwei, drei Wörter auf der weißen Fläche, das unwiderstehliche Bedürfnis, sie wieder zu streichen. Nie zuvor war mir die Leere eines frisch eingespannten Schreibmaschinenblattes derart widersprüchlich bewußt geworden wie jetzt. Einerseits verspürte ich den Drang, etwas in diese Leere hinein oder genauer aus dieser Leere, die mir viel zu verbergen schien, heraus zu schreiben, anderseits hatte ich Angst davor. Dann riß ich das Blatt von der Walze, zerknüllte es, und warf es zu Boden. Spannte das nächste ein, saß endlos darüber, schrieb zwei, drei Wörter. Hatte das Bedürfnis, sie wieder zu streichen, und strich sie . . . Am Ende saß ich inmitten zerknüllten Papiers, wie ich vor kurzem inmitten von Bildern gesessen war.

Und dann geschah mir etwas überaus Merkwürdiges. Ich verspürte plötzlich den seit guten fünfzehn Jahren nicht mehr gehegten Wunsch zu *fotografieren*. Ich hatte die neue Kamera, Papas Geschenk zu meinem zwölften Geburtstag, eines Tages weggelegt und nicht mehr angerührt. Ich hatte mich geweigert, wie geplant auf die grafische Lehr- und Versuchsanstalt zu gehen, und die Nachfolge meines Vaters anzutreten.

War das nun *vor* oder *nach* dem schlagartigen Aufhören jener erst kürzlich wiederentdeckten Träume von meiner Mutter gewesen? Und hatte ich diese Träume *vor* oder *nach* meiner zweiten Bruchoperation zu träumen aufgehört? Ich wußte es nicht. Ich wußte nur, daß ich jahrelang alles, was mit Fotografie zusammenhing, in einer geradezu skurrilen Weise von mir abgewehrt hatte. Die Voigtländer meiner Frau zum Beispiel, die sie mir einmal in Dubrovnik über die Schulter gehängt hatte, hatte ich prompt in einem Restaurant vergessen.

Nun aber zog es mich in den Schrankraum, in dem zwischen Reisetasche und Seesack der Kamerakoffer mit Sonjas neuer Praktika stand. Das Filmeinlegen machte mir Schwierigkeiten, ich hatte den einfachen Vorgang offensichtlich verlernt. Sicher konnte ich auch nicht mehr entwickeln, fixieren, kopieren, vergrößern, kurz, nichts von dem, was mir mein Vater ehemals, damit ich in seine Fußtapfen träte, beigebracht hatte. Ich schlüpfte in die Jacke, hängte die Kamera um und verließ meine Wohnung.

Keine Ahnung, was oder wo ich eigentlich fotografieren wollte . . . es ging mir, hatte ich den Eindruck, eher um den Akt des Fotografierens, und ich ließ mich eine Weile ganz einfach von Motiven treiben. Unter anderem fotografierte ich die mit Brettern und Pappendeckel vernagelte Tür eines aufgelassenen Geschäftslokals. Dann war ich auf einmal auf dem stillgelegten Teil des Naschmarkts, wo mich die Tiefe der schmalen Gänge zwischen den verlassenen Buden reizte. Und als ich die Treppenstufen zur Rechten Wienzeile hinun-

terstieg, ging mir auf, daß mich mein Weg, wenn ich gerade-
aus weiterging, direkt in die Heumühlgasse führte.

Schließlich, im Flur des Hauses Heumühlgasse Numero 12,
steckte ich das Blitzgerät an und fotografierte den Fußabstreifer. Fotografierte die Kellertür, ging die paar Stufen in den
Halbstock hinauf und fotografierte das dort in einem Glasschrein hängende Marienbild. Es kam mir seltsam vor, daß
ich dieses Bild anläßlich meines letzten Besuchs bei meiner
Großmutter übersehen hatte. Denn, wie ich mich jetzt erinnerte, hatte mir gerade dieses Bild in meiner Kindheit imponiert.

Ich habe aber, sagt mein Vater, nicht auf die Dauer die doch
recht unsichere Rolle eines schwarzen Porträtfotografen der
Roten Armee spielen wollen. Möglicherweise, habe ich gedacht, reißt die Konjunktur von heute auf morgen ab, wer
kann das schon wissen. Oder vielleicht habe ich eines Tages
sämtliche Russen durchporträtiert. Oder sie verlieren mit der
Zeit ihr Interesse an meinen Fotos.

Gerade als diese Zweifel am stärksten waren, habe ich zufällig
einen alten Kollegen getroffen, dessen Frau und Tochter kurz
zuvor auf besonders tragische Weise ums Leben gekommen
waren. Sie haben den Krieg, trotz einer leichten Beschädi-
gung ihrer Wohnung durch einen Bombentreffer ins Nebenhaus heil überstanden. Einmal am Abend aber, ein Sturm hat
geblasen und die Äste von den Bäumen gerissen, hat es in den
Wänden zu rumoren begonnen. Und um Mitternacht – er,
mein Kollege, hat noch im Wohnzimmer gearbeitet, die
beiden Frauen aber waren längst zu Bett gegangen – ist das
Schlafzimmer abgestürzt.

Verständlich, daß er nicht mehr dort bleiben hat wollen. Du
wohnst doch bei deiner Mutter, hat er gesagt. Mit Frau und
Kind. Und alle auf Zimmer – Küche. Wenn du willst, überlasse ich dir meine Wohnung. Es sind noch immer zweiein-
halb Zimmer vorhanden. Manchmal rieselt es zwar verdammt im Gemäuer. Aber die Feuerwehr hat die Geschoße
gebölzt. Aller Wahrscheinlichkeit nach wird nichts mehr
passieren. So schlag doch schon ein. Du brauchst mir nicht
viel zu bezahlen. Sagen wir, zwei Kilo Butter und zwei Kilo
Speck. Und wenn du ihn auftreiben kannst, einen Winter-
mantel. Als sozusagen symbolische Wohnungsablöse.

So sind wir also in den dritten Bezirk, Keinergasse 11, übersiedelt. Obwohl diese Übersiedlung natürlich ein Riesenrisiko war. Doch so ein Angebot hat man einfach annehmen müssen. Eine Wohnung zu kriegen, war damals ein Kunststück. Sicher, wir haben, kaum ist ein bißchen Wind aufgekommen, große Angst ausgestanden. Da hat die Bruchbude zu wackeln begonnen, aber daran erinnerst du dich vielleicht schon selbst. Ich habe repariert, was zu reparieren war, mit eigenen Händen habe ich mir ein neues Labor installiert. Elektrische Drähte verlegt, Wasserrohre umgeleitet – es war trotz allem eine schöne Zeit.

Und dann habe ich mich mit Feuereifer in meine neue/alte Arbeit gestürzt. Wir waren jetzt in der englischen Zone, das Russenporträtgeschäft war also wirklich zu Ende. Was ist mir übriggeblieben, als es vorläufig einmal als völlig freier Pressefotograf zu versuchen. Nichts weiter zu tun als, ganz ohne Auftrag, zu gehen, zu sehen und zu fotografieren.

Wien war ja so voll von interessanten Motiven, und über meine Dokumentationsmanie brauche ich dir wohl nicht mehr viel zu erzählen. Überall haben die Leute im Schutt gegraben, ehemalige Nazibonzen hat man gezwungen, mit Schubkarren zu fahren. Vereinzelt Heimgekehrte sind durch die zerbombten Straßen geirrt, noch gar nicht so alte Männer haben in den Rinnsalen nach Zigarettenstummeln gesucht. Und vor den Greißlergeschäften sind endlose Menschenschlangen mit Lebensmittelkarten gestanden.

Schließlich wurde mein Vater aus dem Spital entlassen, ich aber hatte beim Schreiben seiner/meiner Geschichte immer noch mit Widerständen zu kämpfen, die ich sonst nicht kannte. Wie Sisyphos seinen Stein, so wälzte ich meine Gedanken aus dem Unterbewußtsein hoch, doch hatte ich sie endlich an der Kippe zur Formulierung, so klingelte beispielsweise das Telefon, und sie rollten wieder bergab. Oder ich verspürte plötzlich ein unüberwindliches Hungergefühl, stürzte in die Küche und verschlang ein Stück trockenes Brot. Und wenn ich an die Schreibmaschine zurückkehrte, war alles, was ich soeben hatte schreiben wollen, im wahrsten Sinne des Wortes vergessen.

Dann liefen mir, wie Fragmente aus einem häufig gerissenen, und schlecht wieder zusammengeklebten Film, Szenen aus jener Lebensphase durchs Gehirn, in der ich versucht hatte, *nicht* mehr der ganze Papa zu sein. Einige Monate, nachdem ich die Kamera weggelegt hatte, verkaufte mein Vater sein umfangreiches Archiv. Für wen sammle ich alle diese Fotos, fragte er, für wen hebe ich alle diese Filme auf? Und ich sah meinen Vater mit hängenden Armen im Laboratorium stehen und empfand bei dieser Erinnerung ein unbestimmtes Gefühl von Schuld. Dann stand ich minutenlang vor dem Spiegelschrank und studierte mein Gesicht. Oder ich nahm einen Handspiegel zu Hilfe und reflektierte meine Glatze. Ich hatte das Bedürfnis, etwas zu notieren, scheiterte aber an einer erschreckenden Wortlosigkeit. Endlich griff ich, wie schon vor einigen Tagen, zur Kamera und floh aus meinen vier Wänden.

Die Straße war naß vom Regen, die Sonne hing blaß in den Wolken, der Wind fuhr mir kalt durchs Haar. Eine plötzliche Ungeduld vibrierte von den Unterschenkeln aufwärts durch meinen Körper. Ich stoppte ein Taxi und fiel aufatmend, als wäre jemand hinter mir her gewesen, in den Rücksitz. Wohin, fragte der Fahrer. Und ohne lange nachzudenken, sagte ich: Keinergasse 11.

Als das Taxi in die Gasse einbog, in der ich den größten Teil meiner Kindheit verbracht hatte, begann ich unwillkürlich zu frösteln. Schon wollte ich den Lenker auffordern, weiter zu fahren, aber er hielt bereits bei der angegebenen Adresse. Ich nahm einen Hunderter aus der Geldbörse, um die Fahrt zu bezahlen, und bemerkte, daß meine Hand zitterte. Dann stieg ich aus und vergaß aufs Wechselgeld, aber der Lenker, eine ehrliche Haut, rief mich zurück.

Im Haustor erkannte ich das Meandermuster der Fliesen wieder, doch auf der Namenstafel las ich lauter fremde Namen. Das Mezzanin hieß jetzt erster Stock, vor der Tür, hinter der wir ehemals gewohnt hatten, stieg mir das Herz in den Hals. Ich hob die Kamera, las die Daten vom Belichtungsmesser und schaute durch den Sucher. Aber als sich plötzlich die Tür von innen öffnete und das Gesicht einer Frau im Spalt erschien, lief ich treppabwärts davon.

Auf dieser Flucht verstauchte ich mir einen Fuß und hatte, aus dem Haustor humpelnd, das Gefühl, es geschähe mir recht. Was suchen Sie, fragte mich ein Mann, der vor dem Haus sein Auto wusch, ich fühlte mich irgendwie ertappt und sagte:

nichts. Vis à vis sangen zwei Gastarbeiterkinder einen Auszählreim, ich verstand kein Wort, hatte aber den Eindruck, es wäre wichtig für mich, den Auszählreim zu verstehen. Beim Durchgang zur Lustgasse posierte noch immer die steinerne Tänzerin, der ich stets zwischen Stand- und Spielbein geschaut hatte, wenn ich vor dem Kindergarteneingang um die Ausspeisungssuppe angestanden war.

Die geschlechtslose Glätte dort hatte mich, fiel mir jetzt ein, damals abwechselnd verärgert, irritiert und erschreckt. Daß inzwischen jemand mit roter Farbe etwas dorthin gemalt hatte, interessierte mich. Ich hob die Kamera, um ein Foto zu machen, ließ sie jedoch, da ich hinter mir Schritte hörte, wieder sinken. Als ich am Herz-Jesu-Spital vorbeikam, wurde mir auf einmal weiß vor den Augen, und ich taumelte so gut wie blind auf die andere Straßenseite.

Dann ging ich die Wassergasse hinunter zum Donaukanal und dachte, möglichst nicht auf die Ritzen zwischen den Pflastersteinen tretend, an den Schluß meines Buchs. Schließlich kam ich zur Überfuhr, hatte aber eine merkwürdige Scheu davor, mich ans andere Ufer bringen zu lassen. Ich ging also die Lände entlang und bemerkte mit einem gewissen Unbehagen, daß man die Stauden von den Uferböschungen entfernt hatte. Bis ich beim Gassteg war, war der Himmel fast schwarz, nur über den Praterbäumen hing ein nicht minder bedrohlicher, schwefelgelber Streifen.

Dann fielen die ersten Hagelkörner, mir aber fiel der Traum ein, den ich vor kurzem wieder geträumt haben mußte. Mein Vater trug mich auf seinen Schultern über den Gassteg, der nur aus einigen behelfsmäßig über die zerstörten Brückenpfeiler gelegten Holzbrettern bestand. Es konnte aber auch ich selbst sein, der da jemanden übers zwischen den morschen Brettern durchscheinende Wasser trug und der auf meinen Schultern saß, war mein noch ungeborener Sohn. Als ich durch den Sucher der Kamera schaute, sah ich tatsächlich die Silhouette eines Mannes auf der Brücke, aber auf seinen Schultern saß kein Kind.

Ich habe also, sagt mein Vater, meine Fotos geknipst, ausgearbeitet, nach Sachgebieten sortiert, gestempelt und angeboten. Aber mit wenig Erfolg, denn die von mir abgeklapperten Zeitungen – das *Neue Österreich*, die *Weltpresse*, der *Abend*, der

Wiener Kurier etc. haben nicht richtig angebissen. Der Einfluß des Syndikats, das mich, ganz ohne Rücksicht auf mein Können, aber in Hinblick auf meine angebliche Gesinnung, geschnitten hat, war schon allzu groß. Henisch? . . . nein danke, wir haben schon unsere eigenen Mitarbeiter.

Da ist es mir eines Tages zu blöd geworden, ich habe meine besten Bilder geschnappt, auch und besonders Kriegsbilder, ganz einfach deshalb, weil ich die bis heute zu meinen besten Bildern zähle, und bin damit geradewegs zur *Weltillustrierten*. Und offiziell für die Russen zu arbeiten, das war, in den ersten Monaten des Jahres 47, noch immer schwer verpönt. Ein guter Österreicher, hat es geheißen, tut sowas nicht. Mich jedoch hat diese neue Verlogenheit angekotzt.

Ich bin also einfach hin zum russischen Chefkommissar und habe ihm meine Karten, das heißt, meine Fotos, gleich auf den Tisch gelegt. Ja, ich war Kriegsberichter für die Nazis, aber was ändert das, überzeugen Sie sich selbst, ich versteh mein Geschäft . . . So viel Offenheit hat dem Mann imponiert, er hat sich den Stoß Fotos gegriffen und interessiert darin geblättert. Und dann ist er auf die Serie vom Abzug aus Orel gestoßen, und in seine Augen ist ein seltsames Glitzern geraten.

Orel, hat er schließlich gesagt, ich bin dort gewesen . . . Als Kriegsberichter . . . wie Sie . . . auf der anderen Seite . . . Sie und ich, wir waren Gegner, mein Freund . . . Aber Sie haben gute und wahre Fotos . . . Erzählen Sie nicht, Sie waren Antinazi. ..oder zumindest ein unpolitischer Mensch . . . Erzählen Sie nicht, sie waren nur Fotograf . . . Erzählen Sie gar nichts . . . Ich weiß genau, wie das ist . . . Trinken Sie erst einmal ein Glas Wodka mit mir . . . Und dann – dann machen Sie Fotos wie diese für uns . . . Marmorosch-Szigeth . . . wissen Sie, wo das ist? . . . Sie begleiten den ersten Heimkehrerzug!

Marmorosch-Szigeth nun war ein uraltes Nest an der Dreiländerecke zwischen Ungarn, Rumänien und Rußland. Es hat dort ein Lager gegeben, in dem man die aus Sibirien kommenden Kriegsgefangenen gesammelt und zu Heimkehrertransporten zusammengestellt hat. So interessant mir der Auftrag zu einer Fahrt dorthin erschienen ist, so riskant war es auch, ihn anzunehmen. Die politischen Verhältnisse in Europa waren damals noch sehr unsicher, und daß ich je von dieser Reportage zurückkehren würde, dafür hat niemand garantiert.

Anderseits gehört das Risiko zu diesem Beruf wie das Salz zum Ei. Und mit zu wenig oder ganz ohne Risiko, wie in den Jahren nach meiner Anstellung hat er mir auch vergleichsweise schal geschmeckt. Nicht nur im Krieg bin ich immer wieder in brenzlige Situationen geraten, und manchmal habe ich diese brenzligen Situationen geradezu gesucht. Im Tiergarten Schönbrunn bin ich in den Löwenkäfig geklettert, im Zirkus Rebernigg aufs Trapez, irgendwie habe ich so etwas immer gebraucht . . .

Ja, denke ich, irgendwie warst du geradezu süchtig nach so etwas, und als du es nicht mehr gekriegt hast, bist du alt geworden. Nicht nur en detail hast du das Risiko geliebt, sondern auch vor allem en gros, und die Pressefotografie, solang du sie frei ausgeübt hast, war das Beruf gewordene Risiko. Eine tägliche Bewährungsprobe, sagst du, ein täglicher Kampf ums Dasein, von früh bis spät. 1. 52, darüber bin ich hinausgewachsen, meine Kollegen waren oft Bärenlackel, aber ich habe sie in die Tasche gesteckt . . .

Mein Vater erzählt vom Brand der Wiener Börse und vom Lawinenunglück in Heiligenblut. Mein Vater erzählt vom Staatsbesuch des Negus und vom Treffen Kennedy-Chruschtschew. Von der Brücke zu Andau erzählt er und vom Schlagbaum zu Gmünd . . . Immer war ich fixer und cleverer, als die anderen, immer habe ich bessere Bilder gebracht . . . Mein Vater erzählt, wie man sich als Sekretär einer bekannten Persönlichkeit ausgibt. Mein Vater erzählt, wie man sich unbemerkt in einen Konvoi mischt. Wie man einen Grenzposten überlistet, wie man einen Portier an der Nase herumführt, wie man mit einem Polizeihund redet . . . Man kommt immer wieder in neue, nicht vorhersehbare Situationen, und muß dazuschauen, wie man sie meistert.

Was nun die Fahrt nach Marmorosch-Szigeth betrifft, so hat es noch eine hübsche Intrige der Herrn Kollegen vom Syndikat gegeben. Die Tatsache, daß ausgerechnet ich als einziger, österreichischer Pressefotograf dem Heimkehrerzug entgegen sollte, hat sie ziemlich gewurmt. Ein paar Tage nach meinem ersten Gespräch mit dem Chefkommissar komme ich also wieder in die Weltillustrierte, und was glaubst du, liegt dort obenauf auf dem Schreibtisch? Ein Foto, das zeigt mich, sonnig lächelnd, in HJ-Uniform, umgeben von lauter feschen Kraft durch Freude Mädchen.

Der Chefkommissar hat mich richtig angebrüllt: Hier ist der Beweis! Sie waren ein großer Nazi!

Was hätte ich antworten sollen. Ich habe die Achseln gezuckt: Ich hab doch gesagt, ich war in der Hitlerjugend . . .

Hitlerjugend? Sie waren ein hohes Tier! – Sein Finger hat auf den Uniformspiegel getippt.

Ja, als HJ-Fotograf bin ich avanciert . . . Aber im Herzen war die Partei mir wurscht.

Diese Antwort hat ihn erst recht enragiert: Ich hab Sie beschworen, Sie sollen nicht sowas erzählen! Im Herzen war die Partei Ihnen wurscht? Sie lügen! – Sie stecken in dieser Uniform da und lachen!

Was war zu sagen gegen so eine Logik? Wer in Naziuniform lacht ist ein Nazi . . .

Ich lache, hab ich gesagt, nicht aus Einverständnis, sondern weil mir die hübschen Mädchen gefallen . . .

Auf diese Antwort ist der Chefkommissar aufgesprungen, hat ausgeholt und hat mich mit aller Gewalt auf die Schulter geschlagen. Dowarisch, hat er gesagt, Sie sind entweder schrecklich naiv oder sehr raffiniert, ich weiß nicht. Aber egal, wir wollen das Gestern vergessen und an heute denken. Heute arbeiten Sie für uns, und wehe Ihnen, Sie bringen nicht prima Heimkehrerfotos!

Und dann hat er wieder seine Wodkaflasche hervorgeholt, mir und sich je ein Glas eingeschenkt und nach einem bärbeißigen Prost ein Telefongespräch geführt. Und schon am nächsten Tag habe ich einen Termin beim für Presseangelegenheiten zuständigen Kulturstadtrat gehabt, der ein Kommunist war. Ein Nazi in Uniform, hat der, mir das Bild, um dessen Verbreitung sich die Herrn Kollegen offenbar sehr bemüht haben, vor die Nase haltend, gesagt, ist mir lieber, als ein verkleideter Nazi. Und innerhalb von zehn Tagen habe ich meinen, mir vom Syndikat der Pressefotografen seit Monaten verweigerten, Gewerbeschein gehabt.

Obwohl der Film, der mir in den letzten paar Tagen das Schreibmaschinenpapier ersetzt hatte, noch nicht zu Ende war, spulte ich ihn zurück, nahm ihn aus der Kamera, verschloß ihn in einer Dose, und ging damit zu meinem Vater. Ich habe, sagte ich in möglichst harmlosen Tonfall, unlängst ein paar Fotos gemacht, können wir sie gleich entwickeln? Seit wann, fragte mein Vater, während er den Entwickler eingoß, fotografierst du denn wieder? Das überrascht mich, daß du wieder fotografierst, ich habe geglaubt, du interessierst dich nicht dafür.

Ich gab keine Antwort, sondern beobachtete mit einer mich, kaum daß sie mir bewußt wurde, ziemlich befremdenden Spannung, die Tätigkeit meines Vaters. Wie er die Spule in die Hand nahm, das grüne Licht ein- und das normale ausschaltete, den Film in die Spule führte, die Spule in die Kassette tauchte. Auch auf die Geräusche, die er bei dieser Tätigkeit verursachte, achtete ich mit einer seltsam überspannten Aufmerksamkeit. Natürlich hatte ich sie in meiner Kindheit oft und oft gehört, nun aber bewirkten sie ein irritierendes Echo in meinem Kopf. Dann schaltete mein Vater das normale Licht wieder ein, drehte die Krone der in der Kassette steckenden Spule und programmierte die Entwicklungszeit an der Stoppuhr. Was hast du denn fotografiert, fragte er, und ich sagte: Verschiedenes, vor allen Dingen aber Motive aus der Gegend meiner Kindheit. Ich hätte gute Lust, ein Buch mit eigenen Fotos zu machen, manche Fotos ersetzen vermutlich lange Texte. Nana, brummt mein Vater, und warf die Filmspule mit einer etwas zu abrupten Bewegung ins Wasser, Schuster bleib bei deinen Leisten. – Kurz darauf nahm er den Film wieder aus dem Wasser heraus, spulte ihn ab und hielt ihn gegens Licht. Aber Peter, sagte er, was hast du denn mit diesem Film gemacht, der ist ja total schwarz! Mir schoß das Blut in den Kopf –: tatsächlich, auf meinem Film waren nicht einmal mehr die Kader zu sehn. Auf irgendeine Weise, sagte mein Vater, hast du ein Licht einfallen lassen, das hat alles verdunkelt.

Ich bin also, erzählt mein Vater, gewissermaßen wieder ins Feld gezogen. Und zwar auf einem offenen, sowjetischen Lastwagen, eingekeilt zwischen ungefähr dreißig singenden Rotarmisten. Und in einem zweiten Lastwagen ist uns eine Delegation österreichischer Kommunisten gefolgt. Die hat die Aufgabe gehabt, die Heimkehrer schon in Marmorosch-Szigeth über die neue politische Lage in Österreich zu informieren. Ich muß dir gestehen, ich habe diese Atmosphäre genossen. Fast hab ich mich wieder als der Alte gefühlt. Männer, Waffen, Lieder und Uniformen ... *Welche* Uniformen war gar nicht so wichtig. Die Fahrt durch Ungarn war überaus interessant. Das weite Land hat noch immer nach Krieg gerochen. Dieser Geruch nach verbrannter Erde und kaltem Rauch ... der hat mich zugleich beängstigt und seltsam erregt.

Marmorosch-Szigeth schließlich war ein typisches Überbleibsel aus der K. u. K.-Monarchie. Verblichene, kaisergelbe Verwaltungsgebäude, Uhr und Pissoir auf dem Marktplatz, zwei Hotels. Im mieseren von den beiden hat man uns einquartiert. Da haben die Wanzen endlich Verpflegung gehabt ... Vis à vis ist eine Kaserne gewesen. Dort waren die Kriegsgefangenen untergebracht. Vorläufig lauter Rumänen, Ungarn und Serben. Unsere Landsleute waren noch unterwegs. Ich habe jedoch die Zeit bis zu ihrer Ankunft nicht wollen nutzlos verstreichen lassen. So habe ich mir von den Russen, die mir erstaunlich bereitwillig vertraut haben, eine Art von Geleitpaß verschafft. Damit hab ich nahezu überall Zutritt gehabt. Und folglich nahezu alles fotografiert: Die Vorstadt mit ihren trostlosen, kotigen Straßen ...; den Markt mit den grauen, meist von Juden betriebenen Buden ...; die Garnison, die Quartiere, das Offizierskasino ...; den Gefangenentrakt, die Häftlinge, ihre Besucher.

Eines Tages nun hat mich am Stacheldraht vor der Kaserne ein greises Mütterchen angesprochen. Gnädiger Herr, hat es auf deutsch gesagt, und versucht, mir die Hand zu küssen, sie gehen doch überall ein und aus ... Sehn Sie, mein Istvan ist dort oben eingesperrt, gerade jetzt steht er am Fenster und winkt ... Tun Sie ein gottgefälliges Werk und nehmen Sie dieses Päckchen mit.

Na ja, was soll ich dir sagen, ich hab mich kurz nach dem Wachtposten umgeschaut, das Päckchen genommen und unter der Jacke verborgen. Dann bin ich hinauf in den Gefangenentrakt, habe so getan, als schieße ich ein paar Fotos und habe mich insgeheim nach dem Istvan erkundigt. Und die russischen Aufseher haben sich mit mir unterhalten, mir Zigaretten angeboten und überhaupt keinen Verdacht geschöpft. So habe ich endlich dem Istvan das Päckchen zugesteckt.

Damit ist die Sache erledigt, hab ich gedacht. Und aufgeatmet. Aber das war ein Irrtum . . . Denn wie ich am nächsten Tag zur Kaserne komme, da stehen schon mehrere Mütterchen dort und warten . . . Also, was brauch ich dir da noch viel zu erzählen . . . Du weißt ja, ich hab ein sentimentales Herz . . . Gottgefällige Werke, du meine Güte . . . Ich hab mich zum Hermes von Marmorosch-Szigeth entwickelt. Dann jedoch haben die Mütterchen angefangen, mich mit Schmattes zu belagern. Sie haben mir Rubel, Forinth und Lei in die Taschen und alle möglichen und unmöglichen Leckerbissen in den Mund gestopft. Nun hätte ich das Geld vielleicht irgendwo verstecken können, aber daß ich sichtlich zugenommen habe, war alarmierend. Die Russen waren schließlich bei Gott nicht blind, und wäre ihnen auch nur das Geringste aufgefallen, so wäre ich wahrscheinlich in Sibirien gelandet.

Mit der Ankunft der österreichischen Heimkehrer aber hat diese bedenkliche Entwicklung ein rasches Ende genommen. Binnen drei Tagen war ein schier endlos langer Heimkehrerzug zusammengestellt und ist Richtung Westen gerollt. Und ich bin mit drin gesessen und habe fotografiert. Fantastische Bilder kann ich dir sagen, erschütternde Bilder . . . – Schau doch nur, was sich in den Gesichtern dieser Heimkehrer widerspiegelt. Und je näher wir an Wien herangekommen sind, desto enger beisammen waren die Gegensätze – Hoffnung und Angst, Freude und Verzweiflung . . . Und erst, was sich dann in Wien auf dem Südbahnhof getan hat, du lieber Himmel . . . Das waren *Bilder*, sag ich dir, die man nie mehr vergißt.

Die Sache mit dem schwarz gewordenen Film ließ mir keine Ruhe. Ich hatte ihn, obwohl mein Vater noch immer darüber lachte (. . . aber Peter, was willst du denn mit einem Film anfangen, auf dem absolut nichts drauf ist . . .) trocknen lassen, zusammengerollt, wieder in die Dose gesteckt und mit nach Hause genommen. Nun nahm ich ihn manchmal aus der Dose heraus, rollte ihn auf, hielt ihn gegens Licht und versuchte, sein undurchdringliches Schwarz zu durchschauen. Ich war nicht so sicher, ob wirklich absolut nichts auf diesem Film drauf gewesen war, aber was immer auf diesen Film gewesen sein mochte, es war nicht mehr zu erkennen.

Nun konnte der Lichteinfall bloßes Pech sein, bedingt durch mein aus mangelnder Praxis resultierendes Ungeschick. Wahrscheinlich war es höchst lächerlich, hier an irgendwelche andere Zusammenhänge zu glauben. Außerdem konnte ich mich ja recht gut an die Motive erinnern, die eigentlich auf diesem Film hätten drauf sein sollen. Ich konnte doch jederzeit hingehen und alles noch einmal fotografieren ... Nur seltsam, daß ich das trotzdem von Tag zu Tag verschob. Mit der Geschichte meines Vaters kam ich jetzt besser, ja erstaunlich gut voran. Es schien mir plötzlich Zeitverschwendung, mich durch weiß der Teufel warum nicht vorhandene Fotos von der Geschichte meines Vaters ablenken zu lassen. Ich wollte die Geschichte meines Vaters endlich zu Ende schreiben und alles, was nicht dazugehörte, bis ich damit fertig war, vergessen.

Dann aber träumte ich eines nachts wieder den Traum, in dem ich auf den Schultern meines Vaters saß. Nur daß es diesmal ein Seil war, über das wir balancierten, und nicht wie bisher der bombenbeschädigte Gassteg. In der Mitte des Seils jedoch sprang die Optik um und ich sah das Bild gewissermaßen seitenverkehrt. Und nun war ich es, der die Rolle meines Vaters spielte und auf meinen Schultern saß mein mir noch unbekanntes Kind ...

2

Am folgenden Morgen rührte ich die Schreibmaschine erst gar nicht an, sondern griff, sofort nach dem Frühstück, zum Kamerakoffer und verließ das Haus. Es war ein sehr klarer, kalter Tag, über Nacht hatte sich Rauhreif auf die Forsythienbüsche im Hof gelegt, aber die Sonne schien. Obwohl mir die Finger froren, hatte ich heute überhaupt nicht das Bedürfnis, mit dem Taxi zu fahren, steckte die Hände in die Manteltaschen und ging zu Fuß. In einer Drogerie kaufte ich einen Schwarzweißfilm zu sechsunddreißig Aufnahmen und bat die Verkäuferin, ihn für mich einzulegen.

Im Charakter meines Vaters, dachte ich, während ich die Wiedner Hauptstraße stadteinwärts ging, erkenne ich Züge meines eigenen Charakters wieder, die ich entweder als die meinen annehme oder ablehne, schön und gut. Aber die widersprüchlichen Gefühle meinem Vater gegenüber lassen sich dadurch nicht ganz erklären, irgend etwas an unserer Geschichte bleibt dunkel, wie dieser verhexte Film. Ich werde den Verdacht nicht los, durch die Geschichte meines Vaters irgendeinen zentralen Aspekt meiner eigenen Geschichte zu verdecken. *Meine* Geschichte meines Vaters ist in ein Stadium getreten, in dem es gilt, sie aufzuheben, um ihr auf den Grund zu kommen.

Ich trat in den Flur des Hauses Heumühlgasse 12, steckte das Blitzgerät an und fotografierte das Stiegenhaus. Der Glasschrein im Halbstock reflektierte das Licht, und ich hatte plötzlich den Eindruck, das Marienbild, das darin hing, sei nicht mehr dasselbe wie ehemals, in meiner frühen Kindheit. Ich hatte die Mutter mädchenhafter, das Kind nackter in Erinnerung, und stieg, aufgrund dieser Veränderung etwas verwirrt, die Stufen hinauf. Die bräunlichen Flecken gegen Ende des zweiten Stocks kamen mir vor, wie Blutspuren und ich kniete einen Augenblick nieder, um sie zu untersuchen.

Dann klopfte ich an die Tür meiner Großmutter, trat, nachdem ich sie auf die Stirn geküßt hatte, ins Zimmer, und fotografierte alle vier Wände. Was machst du, fragte die alte Frau, bist du verrückt geworden oder wirst du es gerade, ich glaube alle in dieser Familie sind ein bißchen verrückt. Ich spiele Detektiv, sagte ich, das ist doch nichts Schlimmes, oder, wo ist denn mein Gitterbett gestanden? So, Detektiv spielst du, sagte sie, großer Gott, ein Mann von über dreißig Jahren, hast du keine anderen Sorgen?

Wie war das, fragte ich, nachdem sie mir eine Schale Kaffee hingestellt hatte, damals, als der Papa vom Krieg zurückgekommen ist? Nu, sagte sie, wie soll das gewesen sein, es war zeitig in der Früh, er hat an der Tür geklopft und ich habe gewußt: er ist es. Rosa, habe ich deiner Mutter zugerufen, ihr beide seid hier nämlich auf der Couch gelegen, ich aber war draußen in der Küche, Rosa, das ist der Walter! Und dann bin ich langsam, sehr langsam, zur Tür gegangen, habe aufgemacht, und wirklich: er war es. Und er hat ausgeschaut, wie ein Vagabund, unrasiert und in einem Fischgrätenmantel mit viel zu langen Ärmeln. Und er hat mich umarmt und ist hinein zu deiner Mutter und hat sie innig geküßt. Und dann hat er dich umarmen wollen, aber du bist auf der Couch gesessen und hast ihn nicht erkannt. Soldatenonkel, hast du gemurmelt, Soldatenonkel . . .

Du warst damals ein liebes Kind, sagte meine Großmutter und kramte in der Fotoschachtel, ganz anders, als heute. Da schau, sagte sie, und legte ein Foto vor mich auf den Tisch, ist das nicht entzückend? Da lag meine Mutter im Badeanzug, ich nackt auf ihr, wir schmiegten Wange an Wange. Ja, sagte ich, dieses Foto gefällt mir auch, darf ich es behalten?

Auf dem Weg in die Keinergasse fiel mir der Tag ein, an dem uns mein Vater eröffnet hatte, daß er nun seine freie Bildberichtertätigkeit aufgebe und eine Anstellung als Fotograf der *Arbeiterzeitung* annehme. Er war am Fenster gestanden, hatte hinaus in den Nebel geschaut, und sich, während er uns diese Neuigkeit erzählte, kein einziges Mal nach uns umgedreht. Meine Mutter und meine Großmutter hatten triumphiert, endlich, hatten sie gesagt, spät aber doch, nimmt der Mann Vernunft an. In meiner Erinnerung aber hingen die Schultern meines Vaters von diesem Tag an tiefer, und in seinen Augen war eine schlimme Resignation.

Sicherlich hatte ihm vor allem die finanzielle Notlage der letzten Jahre zu schaffen gemacht. Er hatte sich lang und erfolglos mit der Steuer herumgerauft, eine geraume Weile klebten fast jeden Tag, wenn ich von der Schule nach Hause kam, neue Kuckucks an den Möbeln. Meine Mutter, die nach dem Tod meiner ersten Schwester, immer mehr in jenen ›orientalischen‹ Gleichmut verfiel, der meinen Vater manchmal zur Verzweiflung brachte, kratzte die Kuckucks ab und warf sie zum Mist. Mein Vater aber, der in dieser Phase viel Geschirr zerschlug, hatte einfach nicht mehr die Nerven, die dauernde Belastung zu ertragen.

Hatte er das Goggomobil, das ihm die Zeitung zur Verfügung stellte, endlich, mit viel überflüssigem Gas, geparkt, so machte er meistens, bevor er nach Hause ging, noch einen Abstecher ins Wirtshaus. Dieses Auto übrigens, das ihm wie angegossen paßte, war denen, die ihn gern wegen seiner mangelnden Körpergröße aufzogen, wieder ein Anlaß zum Spott. Dementsprechend liebte es mein Vater, wie man einen Leidensgenossen liebt, und versäumte keinen Hinweis auf seine, der rohen Kraft größerer Fahrzeuge in vielen Fällen überlegene Wendigkeit und Frechheit. Und mindestens zweimal pro Monat bekam er ein Strafmandat wegen unerlaubten Vorfahrens.

So weit reichte seine Identifikation mit dem fahrbaren Untersatz, daß er schließlich sogar einen Goggomobilklub ins Leben rief. Er war der Präsident, und als solcher hatte er, bei aller Selbstironie, die eine solche Position von vornherein beinhaltete, eine gewisse Bedeutung. Er hielt Reden, schrieb Presseaussendungen, veranstaltete demonstrative Gemeinschaftsfahrten und verfaßte Manifeste. Schließlich aber verlor er einen Machtkampf mit einem Gegenpräsidenten, kaufte sich einen NSU-Prinz und gründete einen neuen Klub.

Mir aber war mein kleiner, unattraktiver Vater mit seiner abwehrend vor sich hingehaltenen Agilität eher peinlich. – Ist der Stoppel dort drüben mit der Pullmannkappe und dem Spuckerl von Auto, fragte mich eines Tages ein Schulkollege, nicht dein Alter? – – Bist deppert, sagte ich, mein Vater ist ein um zwei Köpfe größerer Diplomingenieur und fährt einen Mercedes! – Dort war mein Vater, hier war ich, dazwischen war eine Welt.

Diese Distanz hatte sich mehr und mehr vergrößert, je seltsamer mein Vater in den folgenden Jahren geworden war. Oder je seltsamer er mir damals *erschienen* war, denn wenn ich jetzt an diese Jahre zurückdachte, glaubte ich, meinen Vater zu verstehen. Damals jedoch hatte ich ihn immer ärger als jene *komische Figur* gesehen, als die ihn wahrscheinlich auch die meisten anderen, von meiner Mutter angefangen, zu sehen pflegten. Aber die wenigsten, mich eingeschlossen, hatten auch nur ansatzweise begriffen, zu was für einer *tragischen Figur* er sich nach und nach entwickelte.

Und dabei hätten wir das leicht begreifen können: Jetzt, da mir, wie so oft in den letzten Monaten, ganze Serien von Erinnerungsbildern durch den Kopf liefen, schien mir diese Entwicklung klar. Wie er, abends heimgekommen, völlig verloren durch die Wohnung schlurfte, sich sichtlich fehl am Platz empfand und wirklich fehl am Platz empfunden wurde. Wie er sich, von niemandem beachtet und eigentlich auch seinerseits niemand beachtend, immer häufiger ins Labor zurückzog und über alten Fotos sinnierte. Wie er schließlich und endlich, kaum zur Tür herein, nichts mehr im Sinn hatte, als möglichst rasch ins Bett zu sinken mit seiner Flasche Wein.

Selbstverständlich unternahm er Ausbruchsversuche aus seiner immer trister werdenden Realität, aber auch die wurden mißverstanden. Eines Tages schleppte er zum Beispiel eine große Kiste voller Handpuppen daher, stellte sie mitten in der Küche auf den Boden und verkündete, er habe die Absicht, Puppenspieler zu werden. Die *Kinderfreunde*, für die er in letzter Zeit hatte viel fotografieren müssen, hätten ihm, nachdem er unlängst spaßhalber beim Kasperltheater mitgespielt habe, dieses Angebot gemacht. Da sei, habe sich der zuständige Funktionär begeistert, weit und breit kein Mensch, der Kinder so gut zu unterhalten wisse wie er.

Bist du übergeschnappt, sagte darauf meine Mutter, du willst dich beruflich verändern, in deinem Alter? Und ausgerechnet Kasperltheater spielen, daß du dich nicht schämst, das schaut dir wieder ähnlich! Ich weiß nicht, was du willst, es ist uns doch finanziell noch nie so gut gegangen, wie jetzt. Statt daß du froh bist, daß du endlich einmal im Leben deine berufliche Sicherheit hast, ich verstehe dich nicht . . .

Einige Zeit später war ein Zirkus in Wien, und wie immer, wenn irgendeine Sorte fahrenden Volks da war, war mein Vater kaum zu halten. Ganz ohne Auftrag schoß er zahllose Fotos von Raubtierbändigern, Kunstreitern, Trapezkünstlern, Feuerschluckern und Clowns. Als er mich zu einer der Vorstellungen mitnahm, fiel mir auf, daß ihm, sobald die Zirkusmusik zu spielen anfing, die Tränen in die Augen traten. Bis in die frühen Morgenstunden saß er mit den Artisten beisammen und lauschte ihren Geschichten.

Und dann kam er eines Abends mit der Idee nach Hause, einen Wohnwagen zu kaufen und als fahrender Fotograf mit dem Zirkus zu ziehen. Warum nicht, fragte er meine Mutter, im Zirkus zu fotografieren, ist eine interessante Sache, und das Offert des Managers ist gut. Du spinnst, sagte meine Mutter, wie stellst du dir das vor, der Peter muß in die Schule. Wenn du allerdings allein fahren willst, bitte, fahr nur, aber dann komm mir erst gar nicht wieder zurück!

Mit meinem Bruder, dem spätgeborenen Kind, das er, was sich schon durch die Wahl des Vornamens Walter andeutete, primär als das seine betrachtete, erlebte mein Vater ein zweites und glücklicheres Bubenalter. Ein paar kurze Jahre lang wuchs der Kleine heran zu seinem Ebenbild und wurde dafür mit einer geradezu abgöttischen Liebe geliebt. Höhepunkt und Ende dieser Euphorie war eine gemeinsame Campingreise der beiden. Mein Bruder war im Begriff, meinem Vater über den Kopf zu wachsen, beim Zelten und am Lagerfeuer war dieser schon eher Bub, als jener, und als sie zurückkamen, sagte der Junge, der Alte sei ihm zu kindisch.

Dann hatte mein Vater noch eine Freundin, aber das war sein letzter Ausbruchsversuch. Da er immer noch alles, was ihn interessierte, fotografieren mußte, fotografierte er auch sie. Fotografierte sie so, wie er sie am liebsten sah, fotografierte sie so, wie sie ihm die Illusion gab, noch einmal jung zu sein in seinen älteren Tagen. Und natürlich fand meine Mutter die Fotos, fand sie genauso, wie ich sie gefunden hatte, in rotes Seidenpapier gewickelt in seiner Lade.

Danach, dachte ich, die Landstraßer Hauptstraße überquerend, war er wirklich nur mehr die *Tragikomische Figur,* die, schon in meinem Alter, das manche als die besten Jahre des Mannes bezeichnen, vergreiste. Vernachlässigte sein Äußeres, versteckte sein Inneres, betäubte sich mit Alkohol. Fuhr stundenlang im VW, zu dem er sich letztes Endes aufgeschwungen hatte, ziellos, und, wie er mir einmal sagte, bloß um der Bewegung willen. Fuhr, immer ein wenig blau, nicht nach links und rechts schauend, auf der Autobahn, mit einer gefährlichen Tendenz zur Fahrbahnmitte.

Natürlich tuschelten die Nachbarn hinter ihm her, natürlich lachte man böse über ihn, doch er bemerkte es nicht. Oder wollte es nicht bemerken, versuchte es zu überspielen, erzählte immer wieder dieselben Witze.

Nachdem er einmal, betrunken nach Hause gekommen, sei es aus Zeitnot, sei es aus Desorientiertheit, in den Blumenstock im Halbstock gepißt hatte, stellte mich die Hausmeisterin zur Rede. Damals hätte ich viel darum gegeben, meinen Vater verleugnen zu können, aber der Hausmeisterin gegenüber war das unmöglich.

Dann war ich wieder in der Keinergasse 11, fotografierte den Hof, der in meiner Erinnerung viel größer war und überschwemmt, denn es hatte einmal einen Wasserrohrbruch gegeben, fotografierte die Klopfstange, fotografierte die Kellertür. Die dunkle Ecke am Ende des Ganges fotografierte ich auch, als das Blitzlicht aufleuchtete, sah ich am linken, unteren Bildrand ein vages Gerinnsel und schoß noch ein Foto. Beim Stufensteigen fiel mir ein, daß ich als Kind eine zeitlang wie ein Hinkender, das heißt mit dem linken Bein voran, das rechte Bein aber nachschleifend, die Treppe hinauf und hinunter gegangen war. Dann stand ich erneut vor der Tür unserer ehemaligen Wohnung, hob die Kamera und fotografierte.

Diesmal lief ich, als sich die Tür einen Spalt breit öffnete, nicht davon. Die Frau, deren Gesicht im Spalt erschien, kam mir seltsam vertraut vor, obwohl ich ihr Gesicht, da ein auf der anderen Hofseite plötzlich geöffnetes Fenster mich blendete, nicht deutlich erkannte. Sie sagte nichts, also schwieg ich auch und blieb, mit verkniffenen Augen gegen die Blendung ankämpfend, stehen. Doch gerade, als sich das Gangfenster gegenüber wieder schloß und die Sonne in einer anderen Richtung reflektierte, zog sich auch das Gesicht aus dem Spalt zurück und die Tür ging zu.

Anschließend fotografierte ich das Haustor und die Erkerfront, von deren ehemals kriegsbeschädigtem Sims, wie ich mich, plötzlich erschreckend, erinnerte, Murli, unsere schwarze Katze, eines Tages abgestürzt war. Ich hatte nur mehr das Kratzen der Krallen auf dem Blech gehört, und dann war mir für einige endlos lange Sekundenbruchteile bewußt gewesen: die Katze fällt. Und es war mir vorgekommen, als ob ich selbst fiele, denn seit ich mich erinnern konnte, hatte ich mich mit schwarzen Katzen, und besonders mit dieser, die ich liebte, identifiziert. Doch ich hoffte zuversichtlich, sie würde überleben – eine Katze, hatte man mir immer wieder erklärt, hat sieben Leben, eine Katze fällt immer auf die Füß'. Sodann fotografierte ich, vorerst keine Ahnung warum, die Konditorei an der Ecke. Und dann fiel mir ein, daß ich ehemals als Kind, einmal nackt vom Haustor zur Konditorei und wieder zurückgelaufen war. Der Fritzi, hatte Friedi, das Hausmeistermädchen gesagt, der Fritzi traut sich, traust du dich auch . . .? Und schon hatte ich die Badehose ausgezogen – es war ein heißer Sommertag gewesen – und war gelaufen. Und war glücklich zur Konditorei gekommen und hatte umgedreht und war auf dem Weg zurück. Doch als ich schon fast am Ziel war, und Friedi lachte mir anerkennend entgegen, bemerkte ich die alte Frau. Sie saß auf einem Klappstockerl vor dem Nebenhaus, sonnte sich, strickte, und als sie mein hüpfendes Glied sah, kreischte sie hysterisch auf. Ich aber floh in den Hausflur, ließ die Badehose in der Ecke, in der ich sie vorher abgestreift hatte, liegen, und rannte treppaufwärts.

Die Gastarbeiterkinder vom letzten Mal waren heute nicht zu sehn, aber der Rhythmus des Singsangs, der mich auf sie aufmerksam gemacht hatte, klang mir noch immer im Ohr. Der Tänzerin in der Lustgasse fotografierte ich, nachdem ich mich vergewissert hatte, daß der nächste Passant noch weit entfernt war, frontal zwischen die Beine und fühlte mich danach erleichtert. Am Herz Jesu Kloster kam ich ohne allzu große Schwierigkeiten vorbei, ja brachte es sogar fertig, ein schnelles Foto zu schießen. Und im Rabenhof, wo es viele dunkle Nischen gab, kam mir wieder Friedi in den Sinn und unsere Spekulation darüber, wie man Babies mache.
Dann, beim Passieren meiner Volksschule, die ich bei meiner ersten Fotoexkursion, obwohl ich offenbar den selben Weg gegangen war, glatt übersehen hatte, fiel mir der segnende Jesus über dem Eingang auf. Und ich erinnerte mich an die seltsam simplen, aber irgendwie faszinierenden Federzeichnungen aus meinem Religionsbuch. Besonders die über Sündenfall und Sintflut hatten mich aus irgendeinem Grund beeindruckt, aber ich konnte mich nicht recht entsinnen, warum. Egal, dachte ich, und dann fiel mir ein, daß ich damals lange darüber nachgedacht hatte, warum die Eva auf der Zeichnung ihrem Adam ausgerechnet einen Apfel reichte.
Auf dem Weg durch die Wassergasse hinunter zum Donaukanal machten mir die Ritzen zwischen den Pflastersteinen wieder einigermaßen zu schaffen. Trotzdem setzte ich mich in die Überfuhr, versank aber, während wir, viel rascher, als in meinen Träumen, ans andere Ufer fuhren, in den Anblick des Drahtseils und der darauf vor uns herlaufenden Rollen. Was, dachte ich, und hatte das Gefühl, diesen Gedanken schon x Mal gedacht zu haben, wenn das Seil jetzt reißt und wir treiben stromabwärts? Und dann sah ich Friedi und mich, im Alter von etwa fünf Jahren, wie wir am Ufer saßen und ein Holzschiffchen schwimmen ließen, und der Papierspagat, an dem das Holzschiffchen hing, weichte sich auf.

Drüben am Praterufer ging ich, obwohl ich zuvor Richtung Gassteg hatte gehen wollen, in die andere Richtung. Möven starteten und landeten auf dem Wasser, flatterten auf und kreisten über meinem Kopf. Ihr Kreisen verursachte mir Schwindel, ich bemühte mich, sie zu ignorieren, und beobachtete meine Füße beim Gehen. Und dann, als ich, immer noch merkwürdig abwesend, in die Nähe der *Urania* kam, stieß ich auf die Gedenktafel für den Seiltänzer.

Ja, sagt mein Vater, das war nicht lang nach meiner Rückkehr aus Marmorosch-Szigeth. Der Seiltänzer Eisemann hat sein Seil mit Hilfe der Feuerwehr vom Büro der Donaudampfschiffahrtsgesellschaft am rechten, zu einem Privathaus am linken Ufer des Donaukanals gespannt. Und natürlich war das ein Fressen für die Presse, und Eisemann hat uns schon vor Beginn der offiziellen Vorführungen Proben seines Könnens gezeigt. Er ist ein Stück aufs Seil hinaus, hat das Seil, einmal den rechten, dann den linken Fuß tänzerisch anhebend, zum Schwingen gebracht, Wechselschritte angedeutet, gegrätschte Sprünge vollführt und schließlich sogar einen Salto riskiert.
Aber das Größte hat er uns, die wir das alles vom Dachboden des DDSG-Hauses aus fotografiert haben, angekündigt, das Größte meine Herrschaften bekommen Sie erst während der offiziellen Vorführung zu sehn. Ich werde meine Tochter hier – und er hat stolz auf ein etwa neunzehn- bis zwanzigjähriges Mädchen gewiesen, das seinen Ausführungen bis dahin mit glänzenden Augen gefolgt ist – auf meinen Schultern wohlbehalten ans andere Ufer tragen. Eine solche Darbietung ohne Netz ist, wie Sie sich sicherlich vorstellen können, eine außerordentlich gewagte und bisher einmalige Sache. Doch Sie werden sehen, ich werde das Mädchen unversehrt drüben absetzen, und es wird sein, wie für andere Leute ein Spaziergang im Park.
Weißt du, hat mir der Seiltänzer, der, genau wie ich, einem guten Tropfen nicht abhold war, so daß wir bald miteinander per du waren, nachher im Wirtshaus gestanden, weißt du, Walter, eigentlich ist das alles halb so wild. Ich brauche nur ruhig Blut zu bewahren, ob ich dann allein übers Seil gehe oder meine Tochter hinübertrage oder meinetwegen dich, ist ganz egal. Solang die Balancestange – und die Balancestange

ist natürlich auch ein Gradmesser meiner inneren Balance – solang die Balancestange waagrecht bleibt, ist alles okay. Solang die Balancestange waagrecht bleibt, brauch ich nichts anderes zu machen, als einfach hinter ihr her zu gehn, denn die Balancestange führt mich.

Ob ich dann allein übers Seil gehe oder meine Tochter hinübertrage oder meinetwegen dich … Dieser Satz des Seiltänzers hat mich auf einen tollen Gedanken gebracht. Ich bin leicht, habe ich gesagt, kaum fünfzig Kilo, mit der Kamera vielleicht ein bißchen mehr, aber du bist ein starker Mann. Wir wär's, wenn du bei einer deiner Vorführungen statt deiner Tochter mich trägst?

Wenn du bei deiner ersten Vorstellung oder meinetwegen bei einer Art von Generalprobe statt deiner Tochter mich trägst, das ergäbe sensationelle Fotos. Ich würde alles fotografieren: deinen Kopf, deine Arme, die Balancestange, deine Beine, das Seil, die Leute unter uns. Das wären Fotos, wie sie die Welt noch nicht gesehn hat, stell dir bloß die Publicitywirksamkeit solcher Fotos vor. Steigst du dann ein zwei Tage später wie geplant mit deiner Tochter aufs Seil, so hast du die Donaukanalufer schwarz von Menschen.

Wenn du mir eine Bestätigung unterschreibst, daß du das alles auf eigene Gefahr riskierst, hat darauf der Seiltänzer, dem dieser Gedanke offenbar ebenfalls sehr verlockend erschienen ist, gesagt, okay, ich machs. Allerdings müssen wir vorher noch ein bißchen trainieren, du mußt verstehn, daß auch die Person, die ich trage, nicht im geringsten unsicher oder ängstlich sein darf. Ist da nur die geringste Spur von Unsicherheit oder Angst um mich, so ist meine innere Balance beim Teufel. Und wenn meine innere Balance beim Teufel ist, gerät auch die Balancestange aus dem Gleichgewicht, und das will ich lieber erst gar nicht berufen, was dann passiert.

Gut, habe ich gesagt, trainieren wir noch ein bißchen, und schon am nächsten Morgen haben wir auf jenem kurzen Stück des Seils, das im Inneren des Dachbodens zwischen Fensterluke und Winde gespannt war, die ersten Schritte probiert. Natürlich war ich unsicher, natürlich habe ich Angst gehabt, denn selbst die im Vergleich zu draußen lächerliche Tiefe vom Seil bis zum balkendurchquerten Fußboden, vergrößert durch die nicht unerhebliche Länge des

Seiltänzers, war erschreckend. Aber der Seiltänzer hat mir, während er, den Blick auf einen Punkt am gar nicht sichtbaren Horizont gerichtet, der Stange nachgegangen ist, zugeredet, wie man einem kleinen Kind zuredet. Durch dieses Zureden hat er gewissermaßen seine innere Balance auf mich übertragen und schließlich bin ich innerlich ruhig gewesen, wie nie zuvor.

Ja, hat der Seiltänzer, nach einigen Stunden solch eher psychischen als physischen Trainings gesagt, wir können es wagen. Was wir jetzt noch brauchen, ist eine bloße Formsache, ich meine, eine polizeiliche Bewilligung. Aber du, als fixer Reporter, wirst diesen Wisch doch ohne weiteres bekommen, da mache ich mir gar keine Sorgen. Wenn alles klappt, gehen wir Donnerstag, das wäre bei meiner zweiten Vorstellung, gemeinsam übers Seil.

Nun, ich habe mir diesbezüglich auch keine Sorgen gemacht und war so gut wie sicher, daß alles klappen würde. War doch der Polizeipräsident ein Du-Freund von mir und mit der Zeitung, für die ich damals vorwiegend gearbeitet habe, aus politischen Gründen eng liiert. Nach und nach habe ich nämlich, aus einem gewissen Gespür für die geschichtliche Entwicklung heraus, immer weniger für die kommunistische *Weltillustrierte* und immer mehr für die sozialistische *Bilderwoche* fotografiert. Man hat mir zwar wieder einmal ein paar ganz hübsche Knüppel in den Weg zu schmeißen versucht – aber ich habe schon eine gewisse Technik im Umschiffen solcher beruflichen Untiefen gehabt . . . Ich habe also einfach das Polizeipräsidium angerufen und dem Polizeipräsidenten, der leider im Augenblick nicht da war, eine entsprechende Nachricht hinterlassen. Und Eisemann, der einen Sinn für die allmähliche Steigerung des Showeffekts besessen hat, hat seine erste Vorführung, um die Sensation nicht vorwegzunehmen, im Alleingang absolviert. Ich bin noch hingegangen und habe einige Schnappschüsse von den gaffenden Leuten gemacht. Deine Mutter und dich habe ich übrigens zu dieser ersten Vorführung mitgenommen, erinnerst du dich nicht?

Nein, sage ich, ich kann mich absolut nicht erinnern, komisch, daß ich das total vergessen habe. Ja, sagt mein Vater, komisch, denn du warst hellauf begeistert. Auf dem Heimweg bist du unausgesetzt auf den Ritzen zwischen den Pflastersteinen balanciert. Und zu Hause hast du einen Bindfaden durch die Küche gespannt und mit dem Teddybären Eisemann gespielt.

Am nächsten Morgen habe ich mich für die voraussichtlich sensationellste Reportage meiner Karriere gerüstet. Habe Pullover, Reithose und Turnschuhe angezogen, die Kamera umgehängt, deine Mutter und dich nicht ganz ohne seltsames Weh in der Brust geküßt. Und dann ein Taxi zum DDSG-Gebäude genommen, beim Einsteigen tief und beim Aussteigen noch tiefer geatmet. Du wirst sehn es wird sein, habe ich mir in Gedanken vorgesagt, wie für andere Leute ein Spaziergang im Park. Aber Eisemann ist mir schon in der Halle des DDSG-Gebäudes mit resigniert ausgebreiteten Armen entgegen gekommen. Ich muß dir, hat er gesagt, eine bedauerliche Mitteilung machen, die Polizei hat deine aktive Teilnahme an meiner Vorführung untersagt. Kommt gar nicht in Frage, hat mir der Polizeipräsident auf meinen Rückruf bestätigt, wenn ein Seiltänzer mit seiner Tochter auf dem Seil tanzt, ist das seine Sache. Aber für dich als Reporter einer österreichischen Zeitung sind wir zuständig, und du bleibst uns schön auf dem Boden.

Natürlich war ich schwer enttäuscht, obwohl ich anderseits, speziell in dem Augenblick, in dem dann Eisemann mit seiner Tochter auf den Schultern aufs Seil gestiegen ist, eine gewisse Erleichterung nicht habe unterdrücken können. Aber dann habe ich mir bloß mehr vorgestellt, ich säße jetzt an ihrer statt auf seinen Schultern und habe alles nur mehr in Bildern gesehn. Auch den Moment in dem er, schon fast beim Gebäude der Rettungsgesellschaft auf der anderen Seite, plötzlich stehen geblieben ist und zu schwanken begonnen hat. Bis zu diesem Zeitpunkt hätte ich schon gute zwei Drittel eines durch die nachfolgende Katastrophe noch sensationelleren Films im Kasten gehabt.

Was eigentlich der Grund für den Unfall war, hat man nie ganz geklärt, wahrscheinlich war jene innere Balance, von der mir Eisemann ein paar Tage zuvor erzählt hat, durch irgend etwas gestört. Das Mädchen auf seinen Schultern hat mit den Händen in die Luft gefaßt, schrill aufgeschrien und dann sind beide gestürzt. Gerade an der Kante zwischen dem Wasser und der dort unglücklicherweise asphaltierten Uferböschung sind sie aufgeprallt. Aber die Kamera, beziehungsweise der in ihr befindliche Film, hätte einen solchen Absturz, glaube ich, ohne weiteres überlebt.

Siehst du, sagte mein Vater, diesmal ist der Film gut geworden. Nur was drauf ist, ist nichts Besonderes, warum um Himmels willen hast du denn das fotografiert? Das sind doch keine Motive, mein Sohn, ich sag dir, ein jeder hat halt nicht das richtige Auge dafür. Na egal, setz dich eine halbe Stunde zu deiner Mutter in die Küche, und ich drück dir den Kontaktstreifen herunter.

Wie war das, fragte ich meine Mutter und ließ die Tablette in den Tee fallen, als der Papa damals in Marmorosch-Szigeth war? Nun, sagte sie, er ist fast ein halbes Jahr fortgeblieben, das war, als wäre er wieder im Krieg gewesen. Auch habe ich wochenlang keine Nachricht von ihm erhalten und manchmal schon angenommen, er wäre verschleppt oder tot. Aber wir beide haben eine glückliche Zeit verbracht. Es war beinahe wie ehemals in Gmünd – nur du und ich und sonst nichts. Ich habe alle Zeit für dich gehabt, habe untertags mit dir gespielt und dir abends Schlaflieder gesungen. Und du warst ruhig und ausgeglichen und hast mit deinen Bausteinen hohe Türme gebaut. Und daß du manchmal umgefallen bist und bist ganz blau geworden, das hat sich aufgehört.

Auf dem Heimweg brandeten die Straßengeräusche mit fast unerträglicher Lautstärke an mein Gehör, der Verkehr erschien mir seltsam hektisch, fast wie in einem im Zeitraffer aufgenommenen Film. An Fußgeherübergängen hatte ich den Eindruck, die Masse der Passanten käme immer von der anderen Seite, ich aber sei auf meiner Seite so gut wie allein. Die Neonreklamen spiegelten sich in derart kräftigen Farben im nassen Asphalt, daß ich das Gefühl hatte, die Welt stehe Kopf. Die Kastanienbäume im Waldmüllerpark waren vollkommen kahl, in der Nähe des Friedhofs aber bildete ich mir ein, die ersten Knospen zu ahnen.

Von da an liefen diverse Erinnerungen durch mein Gehirn, die alle mit meinem Vater zusammenhingen. Ihre Assoziation schien mir aber vorerst keinen Sinn zu ergeben. Oder war ich nur nicht imstande, ihren Sinn zu erkennen? Ich fühlte mich wie im Fieber, und war mir nicht sicher, ob meine Urteile stimmten.

Zuerst fiel mir eine Szene ein, in der mich mein Vater, rund um die Tänzerin in der Lustgasse, radfahren lehrte. Als meine Mutter, mit frischen Dauerwellen, vom Friseur kam, fuhr ich schon allein. Und dann lag mein Vater im Spital und rollte den linken Ärmel seines Pyjamas hoch. Und um die Einstiche von den Injektionsnadeln waren violette Höfe. Und dann stand mein Vater meiner Mutter gegenüber – ich glaube, diese Szene spielte am Heustadelwasser. Stand da und war erschreckend entblößt in meiner Erinnerung. Und dann stand er mir gegenüber, das war im Vorzimmer unserer neuen Wohnung. Und er schlug oder trat auf mich los und ich wehrte ihn ab.

Und dann war ich zwölf und lag im Spital, und mein Vater erzählte mir den Witz von der Beschneidung des kleinen Mojsche. Oder er erzählte den Witz von der Beschneidung des kleinen Mojsche schon früher, ich war erst sechs und lag nicht in der *Confraternität,* sondern im *Herzen Jesu.* Und die Geschichte vom Hammel fiel mir ein, die ich einmal gelesen hatte und man trieb den Hammel durch eine lange Gasse zum Schlachthaus. Und meine Mutter nahm mir das Buch mit der Geschichte vom Hammel weg, denn es war nichts für Kinder.

Schließlich – und diese Szene spielte in der Mittelschule, es war Pause, und ich aß ein Schmalzbrot mit Zwiebeln – fragte mich ein Schulkollege, Bovo hieß er, ob ich ein Jud sei. Und es war mir nicht klar, ob ich mit meiner auf diese Frage gegebenen Antwort meinen Vater eher verleugnete oder bekannte. – Wieso, du weißt doch, ich gehe in den katholischen Religionsunterricht! – – Das ist noch lange kein Grund, du verstellst dich vielleicht.

Damals ging etwas Seltsames in mir vor.

Ich wollte schon wiederholen: Ich bin kein Jud.

Doch seltsamerweise kehrte die Antwort sich um.

Ja, sagte ich, du hast recht – du hast mich durchschaut.

Zu Hause hatte ich das Bedürfnis, mich niederzulegen, spürte aber, als ich still lag, das Blut derart heftig durch meinen Körper pulsieren, daß ich wieder aufstand, und eine Weile im Zimmer hin und her lief, wie ein Wolf im Käfig. Nach und nach jedoch hatte ich in zunehmendem Maße Angst, an irgendeine scharfe Möbelkante anzurennen und griff zum

Notizbuch. Lieber Papa, schrieb ich, da wäre noch so viel, was ich Dir zu sagen hätte . . . In meinem Kopf, Gedanken und Bilder – ich kann sie nicht trennen.

Du mußt deinen Vater verurteilen, sonst verteidigst du ihn . . .

Irgend jemand hat mir das unlängst gesagt.

Du willst ihn verstehen und findest Entschuldigungen . . .

Anderseits, Papa, fange ich an, Dich zu lieben.

Hier riß der Brief ab – es war mir einfach nicht mehr möglich, den Gedanken und Bildern, die jetzt in immer rascherer Abfolge durch meinen Kopf rasten, auch nur einigermaßen zu folgen. Außerdem war ich von Wort zu Wort weniger imstande, halbwegs leserlich zu schreiben. Mit nicht unerheblicher Mühe langte ich mir die Kontaktstreifen aus der plötzlich sehr weit entfernten Kameratasche. Wie betrunken taumelnd kam ich gerade noch ins Schlafzimmer und fiel rückwärts aufs Bett.

Dort lag ich dann und kam gleichzeitig, als etwa vier- bis fünfjähriger Bub, zur Tür herein. Er (das heißt ich) öffnete meinen (das heißt seinen) Schädel, wie man, einfach den Deckel abhebend, ein Gefäß öffnet und nahm ein Sieb heraus. Dann ließ er (oder ich) das Sieb abtropfen, legte es beiseite und schloß den Deckel wieder zu. Von diesem Augenblick an lief in meinem (seinem) Schädel ein Film:

Vor der Namenstafel im Hausflur stehend las ich lauter fremde Namen, klopfte mir am Fußabstreifer den Schnee von den Schuhen und rief den Namen meiner Mutter das Treppenhaus hoch. Die Rufe verursachten ein seltsames Echo in meinem Kopf, ich war nicht sicher, ob ich nur meine eigene Stimme hörte, ober ob meine Mutter aus dem Treppenhaus antwortete. Als ich, übers Treppengeländer gebeugt, hochspähte, sah ich eine Wendeltreppe, obwohl mir gleichzeitig einfiel, daß es weder in der Heumühlgasse 12, noch in der Keinergasse 11 eine Wendeltreppe gab. Auch bemerkte ich erst jetzt die steinerne Tänzerin auf dem Sockel am Treppenabsatz und wunderte mich, wie sie aus der Lustgasse hierher kam. Trotz einer spürbaren Verletzung am linken Fuß lief ich, mit immer stärker beschleunigtem Herzschlag, die sich nach oben verengende Spirale hoch. Dabei hatte ich ein mit zunehmendem Druck verbundenes Geräusch in den Ohren, das mich, obwohl ich ja weiter hoch lief, ans Tiefertauchen in einem Schwimmbecken erinnerte. In sich nach oben verkürzenden Abständen hingen, wie an einem Kreuzweg, Glasschreine an der Wand, die alle das gleiche, sich allerdings mit jeder Wiederholung verkleinernde Marienbild enthielten. Darauf lag die Muttergottes im Badeanzug, das Jesuskind nackt auf ihr, die Konturen des Bildes hatten regenbogenfarbene Schatten. Das kommt, dachte ich von der extremen Vergrößerung, und bemerkte, daß ich nackt war. Gleichzeitig fielen mir deutliche Blutspuren an den obersten Treppenstufen auf, und ich griff mir unwillkürlich an die Augen. Dann stand ich, einigermaßen atemlos, vor der Dachbodentür und hob die Kamera. Komm herein, sagte die Frau, deren Gesicht, umgeben von einer sonnengelben Aura, im Spalt erschien. Drinnen war die Wohnung, in der ich zwischen meinem dritten und meinem neunten Lebensjahr gewohnt hatte, es konnte also doch nicht die Dachbodentür gewesen sein, durch die ich gegangen war. Das Vorzimmer sah noch genauso aus, wie früher, rechts neben der Tür hingen die beiden Aktbilder, die ich mir damals, wenn meine Eltern ausgegangen waren, oft stundenlang angesehen hatte. Ich nahm einen Schemel, stieg hinauf und untersuchte die malerisch in die Landschaft arrangierten Frauen ganz genau. Die eine hielt den Kopf gesenkt und das Gesicht abgewandt, die andere goß sich mit der hohlen Hand Wasser zwischen die Brüste. Ich habe schon auf dich gewartet, sagte die Frau und ging mir in Zeitlupenschritten in die Küche voraus. Wo ist mein Vater, fragte ich, einen kurzen Blick in die Dunkelkammer werfend, die Entwickler- und Fixiernatronbäder waren zugedeckt. Dein Vater, sagte sie, und setzte eine Teekanne auf den Herd, ist in Marmorosch-Szigeth. Wo ist das, fragte ich, und sie antwortete, das ist im Krieg. Ach so, sagte ich, im Spital, er ist also wirklich abgestürzt. Was ist denn das für ein Zeug, das du mir da in den Tee tust? Nicht fragen, sagte sie, nicht denken, keine Angst haben, nur trinken und schauen. Wo ist denn mein Gitterbett, fragte ich, sie aber legte, während sie mir mein Pyjama anzog, bloß ihren Zeigefinder an ihre sehr roten Lippen. Du wirst das jetzt trinken, mein Liebling, und eine Weile schwitzen und nachher wirst du wieder ganz gesund. Ich trank, und sofort schwebte etwas in oder aus mir zur

Decke wie eine Luftblase in einer Wasserwaage. Als wir ins Wohnzimmer kamen, hatte ich das Gefühl, der Boden schlüge Wellen, und in den Wänden heulte der Wind. Dann lag ich auf dem Ehebett, die Frau jedoch saß neben mir am Bettrand und hielt meine Hand. Noch immer hatte ich ihr Gesicht nicht gesehen, jetzt aber wandte sie es mir zu und es sah aus, wie das Gesicht meiner Mutter. Im nächsten Moment aber häutete es sich und nahm in rascher Abfolge die Züge Friedis, Sonjas und vieler anderer Mädchen und Frauen an, die ich gekannt hatte. Kannst du dich nicht so halten, daß ich dich erkenne, fragte ich, und sah mit geschlossenen Augen das Bild der Tänzerin aus der Lustgasse. Ihr Körper atmete, ja keuchte, aber ihr Gesicht war abgebröckelt, ich schmiegte mich tief ins Bettzeug. Als ich wieder aufsah, schälte die Frau eine Blutorange und teilte mit ihren langen, spitz gefeilten Nägeln das Fruchtfleisch.

Nimm und iß, sagte sie, und dann, als ich angesichts des aus der Orange aufs Bett tropfenden Bluts einen Augenblick zögerte: der Fritzi traut sich. Ich griff zu, aber als ich die erste Orangenspalte zum Mund führen wollte, kreischte die Greisin, die, wie ich erst jetzt bemerkte, auf ihrem Klappstockerl in der anderen Zimmerecke saß, hysterisch los. Und dann flog die Tür auf und herein sprang der Kinderarzt Dr. Rosmanith mit seinem schwarzen Ärztekoffer in der Hand. Und die Orange fiel zu Boden und bekam – es handelt sich offenbar, dachte ich, um einen rapiden Verschimmlungsprozeß – einen ekligen Pelz.

Dr. Rosmanith sagte der Frau, deren Gesicht sich jetzt wieder von mir abwandte, etwas ins Ohr. Sie stand auf, trat vom Bett weg ans Fenster und brachte, umgeben von einer nun immer ärger ins Giftgrüne spielenden Aura, ihr Haar in Ordnung. Den Keuchhusten, sagte die Greisin mit der Stimme meiner Großmutter, hat er von der Friedi bekommen. Nicht wahr, Herr Doktor, dieser Leistenbruch jetzt ist vermutlich die Folge.

Inzwischen hatte der Arzt seinen Koffer geöffnet, nahm eine Entwicklerzange voll tropfender Fotos heraus und hielt sie hoch. Ich erkannte die mit Pappendeckel verklebte Tür des aufgelassenen Geschäftslokals, die schmalen Gänge zwischen den verlassenen Naschmarktbuden und die Tür der Wohnung, in der ich mich, wie mir mit plötzlichem Schrecken einfiel, noch immer befand. Im selben Augenblick bemerkte ich die zuvor überhaupt nicht beachtete Tür neben meinem Bett und rutschte vorsichtig auf sie zu. Du weißt doch, sagte der Arzt, während er mit schnellem Griff die Decke zurückschlug, und mich an die Leisten faßte, dein Vater hat diese Tür vernagelt!

Ich aber stieß die Tür einfach auf und war im nächsten Augenblick draußen auf dem über die Schutthalde gespannten Seil. Ich sage ja, rief mein Vater, der, die Hakenkreuzmütze auf dem Kopf, schon in der Mitte war, du bist ein Seiltänzer, ganz wie ich. Ach was, rief ich zurück, ich bin der schwarze Peter, der kleine Peter aus der Katzenstadt! Jaja, sagte mein Vater, ich weiß, die Katze hat sieben Leben, sie fällt immer auf die Füß ... Du mußt wissen, mein Sohn, eigentlich ist das alles halb so wild. Es kommt darauf an, ruhig Blut zu bewahren, ob du dann als Jud übers Seil gehst oder als Nazi oder als Kommunist, ist im Grund egal. Solang die Balancestange – und die Balancestange ist natürlich auch ein Gradmesser deiner inneren Balance – solang die Balancestange waagrecht bleibt, ist alles okay. Solang die Balancestange waagrecht bleibt, brauchst du nichts anderes zu machen, als hinter ihr her zu gehn, denn die Balancestange führt dich.

Aber ich will dir nicht nachgehn, rief ich, als ich bemerkte, daß ich meinen Vater, der, im Gegensatz zu mir, immer langsamer wurde, schon beinahe eingeholt hatte. Es wird dir nichts anderes übrig bleiben, lachte er, auch wenn dir meine Art, auf dem Seil zu tanzen, nicht gefällt. Angesichts des Absturzes spielen die Details keine Rolle, es kommt einzig und allein darauf an, den Absturz möglichst lange zu vermeiden. Wenn so einer wie du sich allerdings einbildet, es ohne Balancestange zu schaffen, dann ist die Absturzgefahr um so größer.

Erst in diesem Moment ging mir auf, daß ich keine Balancestange hatte, ich griff mit den Händen in die Luft, um mich an irgend etwas festzuhalten und stürzte ab. Während des Fallens hatte ich das Gefühl, jemand drücke mir mit zwei Daumen gegen die Augäpfel, und in meinem Kopf schwoll ein purpurrotes Geräusch. Und dann sah ich in kurzen Abständen die Bilder eines verbrannten Menschen auf einem Lastwagen, eines noch nicht ganz ausgebluteten Schafs vor einer Wohnungstür und einer toten Katze. Und die tote Katze lag auf dem Straßenpflaster, dem ich mich selbst mit immer größerer Fallgeschwindigkeit näherte. Im letzten Moment aber fing ich mich, erschreckend, wie ich manchmal kurz vor dem Einschlafen erschrak, zwang mich, aufzuwachen und fand mich auf einem Operationstisch im *Herz Jesu* Kloster. Du sollst ordentlich zählen und nicht die Luft anhalten, sagte die Schwester, die mich, wie alle Schwestern, an meine Großmutter erinnerte, und preßte mir die Äthermaske ins Gesicht. Mir wurde weiß vor den Augen, aber ich wehrte mich dagegen und schüttelte die Äthermaske, mich von einer Seite auf die andere drehend, schließlich vollends ab. Es hilft nichts, sagte Dr. Rosmanith, und schlug mit der flachen Hand auf das Frontalfoto der Tänzerin aus der Lustgasse, was sein muß, muß sein. Ich jedoch sprang auf, stieß Schwester und Doktor beiseite und lief zur Tür hinaus. Lief durch den Korridor, lief die Stiegen hinunter und schwang mich, nackt wie ich war, in den Kinderwagen, mit dem meine Mutter vor dem Spitalseingang wartete. Und dann war da Wald und Nacht, obwohl wir doch, wie ich mir sagte, nur die Keinergasse nummernabwärts fuhren. Links und rechts explodierten Leuchtraketen, ich lag im Kinderwagen und grub mein Gesicht in den Polster.

Dann trat ein Mann aus dem Dickicht, plötzlich liefen Eisenbahngleise durch die Keinergasse, und hielt sein Gewehr im Anschlag. Und ich saß im Kinderwagen, der jetzt ein Sportwagen war, und schrie mit lautloser Stimme. Da war ein schreckliches Weh in mir, als hätte man mir etwas, das zutiefst zu mir gehörte, weggenommen. Und dann war der Mann mein Vater, wir hielten vor dem Haustor Nummer 11, und er wusch dort sein Auto.

Drüben auf der anderen Straßenseite saßen zwei Kinder in Schwimmhosen und sangen, in einem mir höhnisch erscheinenden Tonfall, immer wieder denselben Vers. Die Fut, die sitzt am Fensterbrett und kammpelt sich die Haar, sangen sie, der Beutel liegt im Gitterbett, und glaubt er wird ein Narr. Aha, sagte mein Vater, und versuchte, uns den Weg zu versperren, das habe ich mir doch gleich gedacht! Ich aber sprang aus dem Kinderwagen, schlüpfte in den Hausflur, stolperte, trotz merklicher Narkosenachwirkungen, über das Meandermuster der Fliesen und entwischte.

Ich wollte mich in einer dunklen Ecke des Ganges verstecken, dort aber hockte Friedi, das Hausmeistermädchen, und pißte in die Ecke. Schau, sagte sie, als sie fertig war, und rutschte, die Unterhose über den Knöcheln, den Rock bis zum Nabel hochgeschoben, unters Fenster. Ich kniete mich zu ihr hin und vergrub meinen Kopf zwischen ihren Schenkeln wie der Soldat auf Papas Heimkehrbild den seinen im Schoß der *Heimat*. Und dann sprang plötzlich die Kellertür auf und heraus kam mein Vater im schwarzen Arbeitsmantel und schoß ein Foto.

Und dann war Wasserrohrbruch, und ich ruderte mit Friedi in einem Waschtrog durch den überschwemmten Hof. Oder ich sank in einen Bach, rundum toste ein Choral, ich aber dachte an die Religionsbuchbilder über Sündenfall und Sintflut. Nackte, doch geschlechtslose Menschen hatten sich auf einen Berg geflüchtet, und das Wasser, das den Berg umgab, stieg höher und höher. Und dann saß ich mit Friedi in der Überfuhr, aber das Zugseil hatte sich aufgelöst und wir trieben den Donaukanal stromab.

Und ich erkannte sie, und sie war meine Frau, und wir waren ein Fleisch. Und sie gebar unser Kind und setzte es auf meine Schultern, und die Strömung ward schneller. Wohin treiben wir, fragte ich den Fährmann, und er sagte, zum Friedhof der Namenlosen oder darüber hinaus. Wie lange geht das schon so, fragte ich weiter, und er sagte: seit einer Ewigkeit.

Ich glaube, sagte Sonja, als ich sie fragte, warum sie dauernd vom Bett aufstehe, es geht bald los. So, sagte ich, gut, und sah auf die Uhr, es war drei Uhr früh, soll ich die Rettung rufen? Nein, antwortete sie, warten wir noch ein bißchen, vielleicht ist es doch noch nicht so weit. Gut, sagte ich, warten wir noch eine Weile, aber warten wir nicht zu lang. Draußen blies der Wind, der Regen schlug gegen die Fensterscheiben, ich legte meine Hand auf den Bauch meiner Frau. Mir fiel das Erdbeben ein, das im Vorjahr gewesen war, wir waren in der Küche gestanden und hatten aus irgendeinem Grund gestritten. Und plötzlich hatte es ein Geräusch gegeben, als senke sich ein Bahnschranken, als schlage jemand mit einem kleinen Hammer auf Metall. Und dann war uns aufgegangen, daß das Messingkreuz, das mein Vater aus Rußland mitgebracht hatte, ins Schwanken geraten war und gegen die Wand schlug.

Sonja stand wieder auf und ging aufs Klosett. Ich nahm mir ein Notizbuch zum Bett und schrieb. Ich konnte der Versuchung, auch und besonders in dieser Situation zu schreiben, nicht widerstehn. Oder vielleicht war es gar keine Versuchung, sondern einzig und allein der Versuch, auf distanzierende Weise mit der Situation fertig zu werden.

Und dann fiel mir mein Vater ein: er hatte vor Jahren sein totes Kind, das von ihm so lang ersehnte, kleine Mädchen, das kurz nach der Geburt verstorbene blaue Baby fotografiert. Ich war von der Schule nach Hause gekommen und hatte, wie immer, geläutet, aber niemand hatte mir geöffnet. Also hatte ich aufgesperrt und war ins Zimmer getreten und da stand mein Vater am Fenster. Und er sah aus, wie damals, als er seine berufliche Freiheit verloren hatte, und hatte uns davon erzählt.

Heute aber erzählte er nichts, sondern stand nur am Fenster und schwieg. Und hörte mich nicht, als ich ihn grüßte, und als ich ihn fragte, was los sei, gab er keine Antwort. Und ich berührte ihn an der Schulter, er aber reagierte nicht. Und als er sich endlich umdrehte, sah ich: er hatte geweint. Und dann zogen wir uns an und fuhren ins Spital aber kauften keine Blumen. Und der Gang war sehr lang und weiß, und ich durfte nicht zu meiner Mutter ins Zimmer. Und mein Vater ging hinein, und als er wieder heraus kam, flüsterte er mit der Schwester. Und dann ging er den langen Gang zurück und verschwand hinter einer Tür und schoß das Foto.

Und die Tonbandmanie meines Vaters fiel mir ein, die sich in letzter Zeit noch zu seiner Foto- und Schmalfilmmanie geschlagen hatte. Seit er in Frühpension war, hatte er in der ganzen Wohnung versteckte Mikrofone installiert. Alles, was wir sagten, wurde uns, und war es auch noch so banal, womöglich schon im nächsten Moment vorgespielt und auf diese Weise verdoppelt. Ich getrau mich schon gar nichts mehr zu sagen, seufzte meine Großmutter, alte Ängste wiederentdeckend, ich habe ein Gefühl wie vor der Gestapo.

Mein Vater aber hatte mit seinen späten Tonbandaufnahmen sicher ganz andere Absichten, als die ihm von meiner Großmutter unterstellten. Verweile doch, sagte er zum Augenblick, ganz egal, ob dieser Augenblick nun schön war oder nicht. Auf schöne Augenblicke zu warten, das konnte sich ein Mann, der fast jede Woche ein Stück seiner kranken Leber ausspuckte, nicht mehr leisten. Und der Augenblick verweilte, beliebig oft reproduzierbar, wenn auch auf Kosten der späteren Augenblicke, in denen man ihn reproduzierte.

Zur Zeit seiner Schmalfilmmanie, die schon früher, und zwar kurz nach seiner Anstellung bei der *Arbeiterzeitung* eingesetzt hatte, hatten wir, wenn die Augenblicke, die er festhalten wollte, nicht schön waren, wenigstens so tun müssen, als wären sie es gewesen. Zu Weihnachten zum Beispiel: Mein Vater verschwand hinter der Kinderzimmertür, klingelte, wir öffneten die Tür, die Kerzen brannten, wir stürmten ins Zimmer. Und er lauerte unter dem Christbaum, Kamera am Auge, und erwartete eine möglichst schmalfilmwirksame Weihnachtsfreude. Nein, ihr habt euch nicht richtig gefreut, geht zurück in die Küche, kommt noch einmal zur Tür herein und freut euch richtig . . .

Nun aber, da er das Ende seines Lebens kommen sah, hatte die Schönheit des Augenblicks für meinen Vater nicht mehr die geringste Bedeutung. Oder sie hatte eine andere Bedeutung, weil auch der Begriff Schönheit eine andere Bedeutung bekam. Alles, was ist, ist schön, insofern es ist. Die Schönheit des Augenblicks bestand jetzt für meinen Vater darin, daß er ihn noch erlebte.

Was machen die Wehen? fragte ich Sonja, und sie antwortete, sie kämen jetzt etwa alle fünf Minuten. Vielleicht sollten wir doch die Rettung anrufen, sagte ich, und begann mich anzuziehen. Auch Sonja zog sich an und packte noch einige Kosmetika in ihre Reisetasche. Wir kommen, sagte der Sanitäter am Telefon, sperren sie das Haustor auf.

Dann saßen wir im Rettungswagen, dann nahm der Sanitäter die Personalien auf, und dann waren wir schon im Franz Josefs Spital. Es war dasselbe Spital, in dem mein Vater gelegen hatte, und die jetzige Szene erinnerte mich frappant an jene andere, in der ich meinen Vater ins Spital gebracht hatte. Wir fuhren im Aufzug, und dann standen wir vor einer geschlossenen Tür aus Milchglas. Verabschieden sie sich hier von ihrer Frau, sagte der Sanitäter, sie dürfen nicht in den Kreißsaal.

Dann ging ich durch den Spitalsgarten zum Ausgang, es war

dreiviertelfünf, die Krähen saßen schlafend auf den Bäumen. Der Mond war halb und im Abnehmen, ich fror ein wenig und knöpfte meinen Mantelkragen zu. Als ich nach Hause kam, wärmte ich mir eine Suppe, trank ein Glas Bier und trug die Schreibmaschine ins Zimmer. Und dann setzte ich mich hin, spannte ein neues Blatt Papier in die Walze und begann zu schreiben.

Später aber, als man mir durch ein Glasfenster, das mich an einen Bankschalter erinnerte, meine *Tochter* zeigte, war mir nicht nach schreiben zumut. Ich küßte meine Frau, eilte die Stiegen hinunter und lief hinaus in die Sonne. Es sah sehr nach Frühling aus, obwohl dem Kalender nach noch immer Winter war. Jetzt, Papa, dachte ich, bin ich wirklich aus deiner Spur heraus, jetzt, Papa, könnte ich anfangen, *meine* Geschichte zu *leben*.

Ich weiß nicht, sagte mein Vater, und legte das Manuskript beiseite, ich bin mir noch immer nicht darüber im klaren, worauf du eigentlich hinaus willst. Wofür oder wogegen schreibst du denn dieses Buch: für dich oder gegen mich oder am Ende umgekehrt? – Das wird ein Buch, sagte ich, wie im Grund genommen alle Bücher, gegen den Tod und daher fürs Leben. Naja, sagte mein Vater, das ist ja bestimmt ganz nett, aber was schreibst du für einen Schluß?

Den suche ich noch, sagte ich, mach die Augen zu und schau in dich, was siehst du? Ballonstarts, sagte mein Vater, einen tragischen und einen frohen, aber beide auf einmal. Ich will sie trennen, und zuerst den tragischen erzählen, damit der frohe bleibt. Erzähl, sagte ich, wir haben noch ein bißchen Platz, und schaltete das Tonband ein.

Die Geschichte des tragischen Ballonstarts ist eigentlich, sagt die Stimme meines Vaters, die Geschichte eines verhinderten Ballonstarts. Ich hätte damals, das war vor ungefähr fünf Jahren, in einem Fesselballon mitfliegen sollen, der im Gelände der Wiener internationalen Gartenschau, nicht weit vom Donauturm, gestartet ist. Ich setze mich also, ohnehin etwas spät dran, ins Auto und fahre hin, aber wie ich zur Einfahrt in den Donaupark komme, läßt mich die Polizei nicht hinein. Sie müssen rundherum fahren, hier ist die Einfahrt gesperrt etc., meine Einwände, ich sei Reporter der *Arbeiterzeitung* und müsse rechtzeitig an Bord des Ballons sein, haben nichts genützt. So fahre ich also fluchend um den Donaupark herum, habe auf der anderen Seite noch Schwierigkeiten mit dem Parken und komme schließlich keuchend am Sportplatz an. Und entgegen läuft mir ein Mann mit Amtskappe, zuckt bedauernd die Achseln und erklärt mir, daß soeben ein Kollege an meiner Stelle in den Korb geklettert ist. Sie sind zwar angemeldet, sagt er, aber wir haben, ehrlich gestanden, nicht mehr mit Ihrem Kommen gerechnet. Vielleicht ein andermal, für diesmal muß sich Ihre Zeitung wohl mit Fotos aus der Zuschauerperspektive begnügen.

Auch gut, habe ich gedacht, ich war damals schon in einem Alter, in dem ich mich nicht mehr, so wie früher, um jedes Abenteuer gerissen habe. Und außerdem sehen Bilder aus einem Ballon im Prinzip nicht anders aus, als Bilder aus einem Hochhaus oder aus einem Flugzeug, das war also für mich nichts Neues. Und ich gehe hin und fotografiere die letzten Startvorbereitungen und tatsächlich, kaum ein, zwei Bilder, und der Ballon hebt sich in die Luft. Und die Insassen leeren fleißig ihre Sandsäcke aus und der Ballon steigt, und alles scheint programmgemäß zu verlaufen. Da dreht sich, ungefähr auf der halben Höhe des ein paar hundert Meter entfernten Donauturms, der Wind. Und der Ballon verändert abrupt seine Flugrichtung und fliegt auf den Donauturm zu. Zuerst habe ich geglaubt, die Piloten planen ein spektakuläres Manöver und wollen um den Turm herum. Aber schon nach ein paar Sekunden hat sich an ihren aufgeregten Reaktionen gezeigt, daß das nicht ihre Absicht war. Mit einer unheimlichen Langsamkeit schwebt also der Ballon auf den Donauturm los. Und die Leute unten werden unruhig und sagen einer zum anderen: Das kann doch nicht gut gehn! Und dann ist auch schon zu erkennen, wie die oben verzweifelt allen überflüssigen Ballast abwerfen. Nicht nur die Sandsäcke, so wie sie sind, sondern auch Kleidungsstücke, Kameras, und weiß Gott was noch alles, nur damit der Ballon über den Turm hinwegfliegt. Und wirklich: der Ballon hebt sich, aber er hebt sich nicht rasch genug. Und oben, auf der Höhe des Donauturmrestaurants, gibt es, wie du wahrscheinlich weißt, ein Antiselbstmordgitter. Und genau an diesem Gitter verhängt sich absurderweise das Ballonseil. Und dann kommt ein neuer Windstoß und wirft den Ballon vollends an den Turm.

Was dann passiert ist, war selbst für mich, der ich mein Leben lang so viel Tod fotografiert habe, quälend mitanzuschaun. Es war abzusehn, was passieren würde, aber da war nicht das Geringste dagegen zu tun. Der Ballon ist zerrissen, die Seile sind erschlafft, die durch die Seile am Antiselbstmordgitter festhängende Gondel ist vorerst gekippt. Und dann hat sich die Gondel, Phase für Phase zu beobachten, aus den Seilen gelöst und ist mit einem hörbaren Pfeifen zu Boden gestürzt.

Weißt du, damals habe ich eine Verzweiflung empfunden, die nur jener vergleichbar war, die ich ehemals als Kind beim ersten Anhören der Mariechenverse empfunden habe. Die Unvermeidlichkeit des Geschehens und die Voraussehbarkeit ebendieser Unvermeidlichkeit hat mich fertig gemacht. Und natürlich habe ich diese Unvermeidlichkeit auf mich bezogen, denn, obwohl ich noch einmal davongekommen war, war mir der Tod des an meiner Statt verunglückten Berichterstatters ein Zeichen. Bei der Eisemanngeschichte war ich noch jünger, hier aber habe ich, ganz ohne den lüsternen Beigeschmack des Sensationellen, einfach den Eindruck gehabt, ich hätte meinen eigenen Tod vorwegfotografiert.

Die Geschichte des frohen Ballonstarts dagegen ist eigentlich die Geschichte eines vorzeitigen Ballonstarts. Das war erst unlängst: ich habe, offiziell bereits in Pension, den Auftrag übernommen, Fotos vom Tag des Kindes auf dem Laaerberg zu machen. Und ich gehe hin und fotografiere, was es zu fotografieren gibt: Kinder beim Schaukeln, Kinder beim Rutschen, Kinder im Kasperltheater, Kinder vor einem Zauberer ... Und dann werden Ballons an die Kinder verteilt und man trifft Vorbereitungen für einen der bei solchen Anlässen üblichen kollektiven Ballonstarts.

Und die Kinder fiebern schon, da erklettert ein Funktionär die Tribüne und klemmt sich hinters Mikrofon. Und nun, liebe Kinder, schnarrt er, kommt die große Überraschung des Tages! Ihr habt die Ehre, den Herrn Abgeordneten zum Nationalrat XY in eurer Mitte zu begrüßen. Den Herrn Abgeordneten zum Nationalrat Soundso, der es sich nicht hat nehmen lassen, an diesem fröhlichen Festtag zu euch zu sprechen!

Und dann plagt sich ein dicker Herr auf die Bühne, rückt seine Krawatte zurecht und breitet die Arme aus, als wolle er all die paar tausend Kinder da unten auf einmal umfassen. Denn nicht zur Freude dieser Kinder sollen die bunten Ballons in den Himmel steigen, sondern zur höheren Ehre dieses Herrn und seiner Partei, die Kinder sind da nur Mittel zum Zweck, aber gerade dafür ist er ihnen dankbar. Liebe Kinder, daß ihr heute hier spielen und froh sein dürft, verdankt ihr nur euren Vätern und Müttern, den tapferen Vorkämpfern etc. etc. Und die Kinder treten von einem Fuß auf den andern, verstehen kein Wort und schauen sehnsüchtig nach ihren Ballons.

Und ich will den Dicken schon fotografieren, denn das gehört schließlich zu meinem Job, da zupft mich jemand am Ärmel. Und ich schaue mich um, und sehe ein kleines Mädchen, das läßt meinen Ärmel noch immer nicht los und lächelt mich an. Papa Henisch, sagt es, und daß mich die Kinder kennen und so nennen, das ist etwas, worauf ich ehrlich stolz bin, stolzer als auf alle möglichen Ehrenzeichen und Verdienstkreuze und womöglich sogar stolzer, als aufs EK I, Papa Henisch, ist der Onkel da auch ein Zauberer? Und ich sage, ja, das ist auch ein Zauberer, aber kein besonders guter, du brauchst ihn nicht allzu sehr zu beachten.

Da lächelt das Mädchen erneut, vergißt den schlechten Zauberer, schaut seinen Ballon an und läßt ihn sachte, ganz sachte, los. Und auch ich vergesse den dicken Herrn Abgeordneten zum Nationalrat, wende mein Kameraauge endgültig von ihm ab und fotografiere das Mädchen. Und dann senke ich die Kamera und genieße nur das Gesicht des Mädchens, das dem langsam und heiter in den sonnigen Herbsthimmel steigenden Ballon nachschaut. Und in diesem Augenblick bin ich zum ersten Mal seit ich weiß nicht wievielen Jahren richtig glücklich. Anschließend, ich bin noch immer ganz woanders, kommt der Funktionär zu mir, aufgeregt mit den Händen fuchtelnd, und stellt mich zur Rede. Na sag einmal, fragt er, warum in drei Teufels Namen hast du denn den Abgeordneten Soundso nicht fotografiert? Und mich mit ihm, mich mit dem Abgeordneten XY, wie ich mit dem Abgeordneten XY spreche? Das wäre das wichtigste Bild des Tages gewesen, und just dieses wichtigste Bild des Tages hast du nicht gemacht!

Und ich will schon eine Ausrede finden, die Filme seien mir ausgegangen oder etwas ähnliches, da lehnt sich etwas in mir gegen diese Ausrede auf. Lieber Freund, sage ich zu dem Funktionär, das hier, habe ich gedacht, ist ein Tag des Kindes, nicht ein Tag der Abgeordneten und Funktionäre! Und wenn ich heute zehn Bilder von Abgeordneten und Funktionären gemacht hätte und nur ein gutes Kinderbild, das von dem Mädchen, das mich erfreulicherweise von ihnen abgelenkt hat, ich gäbe sie gern dafür hin. In dem bißchen Zeit, das ich noch habe, will ich endlich mit dieser verlogenen Knipserei, die mir deinesgleichen ein Leben lang zugemutet hat, aufhören und wenigstens noch damit anfangen, wahrhaftig zu fotografieren!

Für einen Augenblick hat es dem Funktionär die Rede verschlagen, dann aber hat er regelrecht nach Luft geschnappt. Du bist auch nicht mehr der Alte, hat er schließlich gestammelt, nein, du bist auch nicht mehr der Alte! Und ich habe geantwortet, gottseidank, und habe den Funktionär mit seiner ganzen verständnislosen und letzten Endes hilflosen Empörung stehen lassen. Und habe den Kopf gehoben und in den blauen Himmel geschaut, wo noch ganz winzig und rot der Ballon des kleinen Mädchens zu sehen war.

Neuere
Literatur
im Fischer 🔀
Taschenbuch Verlag

Deutschsprachige Literatur der Gegenwart

Ilse Aichinger
Die größere Hoffnung (1423)
Meine Sprache und ich (2081)

Wolfgang Bächler
Traumprotokolle (2041)

Beat Brechbühl
Nora und der Kümmerer (1757)
Kneuss (1342)

Hermann Burger
Schilten (2086)

Hubert Fichte
Mein Lesebuch (1769)
Versuch über die Pubertät (1749)

Marianne Fritz
Die Schwerkraft der Verhältnisse (2304)

Gerd Gaiser
Schlußball (402)

Peter Härtling
Eine Frau (1834)
Zwettl (1590)

Peter Handke
Der Hausierer (1125)

Stefan Heym
Der König David Bericht (1508)
5 Tage im Juni (1813)
Der Fall Glasenapp (2007)
Die richtige Einstellung und andere Erzählungen (2127)

Peter Stephan Jungk
Stechpalmenwald (2303)

Hermann Kant
Die Aula (931)
Das Impressum (1630)

Marie Luise Kaschnitz
Tage, Tage, Jahre (1180)

Günter Kunert
Tagträume in Berlin und andernorts (1437)
Im Namen der Hüte (2085)

Reiner Kunze
Der Löwe Leopold (1534)
Die wunderbaren Jahre (2074)

Jakov Lind
Der Ofen (1814)

Otto Marchi
Rückfälle (2302)

Angelika Mechtel
Die Träume der Füchsin (2021)

Gerhard Roth
Der große Horizont (2082)

Peter Schalmey
Meine Schwester und ich (2084)

Gerold Späth
Unschlecht (2078)

Erwin Strittmatter
Ole Bienkopp (1800)

Dieter Wellershoff
Einladung an alle (1502)
Ein Gedicht von der Freiheit (1892)

Gabriele Wohmann
Ernste Absicht (1297)

Fischer Taschenbücher

Erzähler der DDR

Fischer
Taschenbücher

COLLECTION S.FISCHER

**Neue deutschsprachige Literatur
im Fischer Taschenbuch Verlag**